フィンランドで世界最北の日本食レストランを経営した男

心房細動の闘病と克服まで

長井一俊
KAZUTOSHI NAGAI

幻冬舎MC

フィンランドで世界最北の日本食レストランを経営した男

―心房細動の闘病と克服まで―

はじめに

私は2001年、バブル崩壊の不況にあえぐ日本からフィンランドのポリ市に移住した。直近の目的は、翌年発行予定の高額ユーロ紙幣が従来の紙幣より大きいことを知り、即応する大きめの財布をいち早く製造して、北欧はもとより全ユーロ加盟国に販売しようというものだった。

バブル崩壊後の日本で会社の経営に四苦八苦している私を見かねた古い友人が、「ユーロを導入することを決めたばかりのフィンランドには、ビジネス・チャンスがいくらでもある」と言って私を誘ってくれた。私はそれまで携帯電話の基板設計や電子部品の輸出入を行う会社を経営しており、フィンランドに移住することで、当時携帯電話メーカーの覇者であったノキア社とより密接な関係を構築しようと考えていた時でもあった。意を決して、私は日本にある自分の会社を縮小して飛び出したのだ。

フィンランドに事務所を開設し、ビジネスは順調に滑り出したが、発行された高額紙幣は各地で釣銭トラブルを起こし、高額紙幣の流通は止まってしまった。製造した大きな財布の需要は喪失し、また、本業の携帯部品販売の事業においても、韓国や中国との価格競争に勝てず、ビジネスは頓挫した。

しかし負けず嫌いな私は、すごすごと日本に帰ることなどできなかった。幸いにもホーム・パーティーで地元の知人たちに振る舞った日本食（寿司と天ぷらとトンカツ）が評判を呼び、とんでもなく厳しい新規の飲食店出店規制を死に物狂いでクリアして、「世界で最北の日本食レストラン」を開業することができた。私はこの過程で「寒くて暖かい国」フィンランドの心髄を味わった。

本書の前半では、こうした経緯に詳しく触れながら、最近、ロシアのウクライナ侵攻のきっかけの一つともいわれる「ＮＡＴＯ（北大西洋条約機構）への加盟」を実現したフィンランドの素顔に触れている。

私が移住したポリという街は、首都のヘルシンキから北西約250キロにある風光明媚な港町だ。そこで私は足かけ4年ほどオーナー・シェフとして働いたが、過度の飲酒もあって身体を壊し、全てを売り払って帰国することになった。

この時のツケがフィンランドから日本に戻って数年後に回ってきた。交通事故で入院したのをきっかけに寝たきり状態になり、さらに心房細動という死に至る病も発覚した。フィンランド時代の過度の飲酒癖とも縁が切れず、「1カ月で歩けるようにならなかったら実家に帰る」と、すんでのところで女房にも愛想を尽かされるところだった。

そこから自分で考案した「アンダンテ体操」で立ち直り、ついに病院の心電図からも心房細動を示す波形がなくなり、失っていたP波が戻った。レントゲン検査でも、拡張していた心臓が正常の大きさに戻っていた。

後半ではこうした私の心房細動との戦いに触れている。

私がここまで頑張れたのは「心房細動を何とか治して、必ずポリの町を訪れ、お世話になった皆にお礼を言いたい」と思い続けたからだ。毎朝体操を続けることにより、健康意識も高まり、過度の飲酒も抑えることができた。

この体操は、寝たままで楽にできることから、多くの病気に対して効果があるのではないかと私は考えている。心筋梗塞で他界した弟も心房細動の症状を訴えていた。私がもう少し早くこの体操を広めることができていたら、もっと長生きしてくれたかもしれない。残念なことである。

世界最北の地で、初めての日本食レストランを創った男の、ビジネスと病気との格闘の歴史から、読者の皆さんに、少しでも、フィンランドの魅力や、心房細動という病気について、またそこから回復する方法について知ってもらえたら幸いである。

目次

第2章　困難に打ち克ち「レストラン・パブ・スシ」の開店へ──59

第3章　フィンランドで巡り合った不思議なひと、もの、習慣……——109

第1章

世界で最北の日本食レストランを創る

1　フィンランドも第2次大戦の敗戦国

バブル崩壊で地獄を見た

1991年、私が45歳になった年、日本人の誰もが信じていた土地神話が崩壊し、それまで急角度で右肩上がりだった日本の地価は翌3年間に半値、株価は3分の1、ゴルフ会員権の多くは紙屑になった。バブル経済の崩壊である。不動産を担保に経営していた多くの中小企業は、銀行からの融資を断たれて倒産した。証券会社大手の山一や、十大銀行の一つであった北海道拓殖銀行ですら倒産してしまった。

バブル崩壊以前の日本では、手形の授受による会社経営の方が、現金取引する会社よりも、銀行から厚い信用を受けていた。特に大手企業が発行する手形の上に書かれた数字は、現金よりも価値が大きかった。「私の会社は大手と取引している立派な会社です」と手形が代弁してくれたからだ。

商売の神様と呼ばれた松下幸之助は「損をするのは商人の恥ではない。お金を眠らせることが恥なのだ」と言った。それを信じていた私は、自宅も父から相続した不動産も担保にして、銀行から金を借り、目一杯手形を振り出して、商売に励んでいた。

バブルが弾《はじ》けた後の３年間、銀行に差し出した担保の価値が大幅に下落したので、銀行は「早く返せ」と言ってくるし、受け取っていた多くの手形も不渡りとなった。売れるものは全て売りながら、社員への給料を払い、振り出した手形を落として、会社の倒産を回避することだけに専心した。

羽振りの良かった友人たちが、突然家族を残して香港や台湾に逃亡したり、元気だった友人が自殺したり、高利貸しから片腕を切られたという噂まで耳に入ってきた。胃は痛くなるし、眠れぬ夜もあった。こんな時代が３年も続いたので、心臓に異常が起きても不思議ではなかった。身体が揺れるほどの心臓の鼓動やキリキリとする心臓の痛みを感じたこともあったが、幸いにして私の会社は、倒産するまでには至らなかった。

持つべきものは友

私が日本で四苦八苦しているのを知ったフィンランドの古い友人であるトゥミネン教授から、「我が国は通貨のマルカを放棄して、ユーロを導入することを決めた。今や明治維新の様相だ。ビジネス・チャンスはいっぱいある。貴君の仕事場を東京から、私が教えている大学のあるポリ市（首都ヘルシンキから北西に約２５０キロ）に移してはどうか」との誘いの電話が来た。トゥミネン教授は1970年代、留学生として来日し、その後日本ノキア、韓国ノキアの設立に尽力し、現在は大学で電子工学の教鞭をとる貴重な日本通の一人である。

フィンランドはベルリンの壁崩壊を機にソ連の傘下から離れ、携帯電話メーカー「ノキア社」に牽引されて、国際社会の表舞台に登場した。

フィンランド人は日本人びいきである。日露戦争で日本がロシアを破った時、ロシア政府が弱体化した。その機をとらえ、フィンランドはロシアから独立できた歴史があるからだ。あまり知られていないことだが、第二次世界大戦で敗戦国になったのは、日本、ドイツ、イタリアの三国だけではなく、フィンランドも敗戦国の一つであった。戦争の初期に、ドイツから支給された旧式の重火器で、ソ連と戦ったからだ。フィンランド人は日本人に似て、働き者だ。戦後数年で敗戦により背負わされたロシアへの賠償金を完済し、敗戦からわずか7年後の1952年にはヘルシンキオリンピックを開催した。現在では教育大国、医療大国、福祉大国そして男女平等大国として世界の模範となっている。

送られてきたユーロ紙幣の原寸大コピー

ノキア社は20世紀終盤、携帯電話のシェアにおいて、世界の過半数を占めていた。フィンランドは森と湖の国といわれるように、国土の大部分が森に覆われている。森の中で自動車が故障したら、寒さでたちまち落命する危険があった。そこで、携帯が可能な小型の通信機が必要とされていたのだ。まさに「必要は発明の母」である。

ノキア社は設計や組み立てに優れているものの、フィンランド国内には製造装置や素材メーカーが不足している。日本から輸入すべきものがたくさんあった。

もし私が、日本の商社に先駆けて、フィンランドに事業所を持って、世界の覇者であるノキア社に対し、日本の電子部品や製造設備を売り込んだら、と想像すると胸が躍った。しかし同年に創立20周年を迎えようとする自分の会社を外国に移転する決心は、なかなかつかなかった。

そんな時、トゥミネン教授から2002年に発行予定のユーロ紙幣の原寸大コピーが郵送されてきた。ドル紙幣は金額が変わっても、紙幣の大きさは一定なのに、ユーロ紙幣は金額が大きくなると紙幣のサイズも大きくなる。最高額の5百ユーロ紙幣はかなり大きい。それまで使っている財布では、はみ出してしまう。ユーロ圏に住む人はさぞ困るだろう。「大きい財布を作ったらユーロ全土で売れる」という企画が湧き上がった。

私はかって、東芝が日本で最初のノート・パソコン、ダイナブックを発売した時、そのキャリング・ケースが必要になると予想して、ダイナブックをもじったダイナバッグなる名前の商標登録を出願し、皮革製キャリング・ケースを製造して、その売り込みに成功した。以来、皮革会社や縫製会社と親しい関係を持っていた。スピードを必要としたこの企画は、フィンランドに転居しようとする私の背を強く押した。私は会社をできる限り縮小して東京に残し、単身でフィンランドに移住することを決めた。

寒くて暖かい国

2001年3月7日、私を乗せたフィンエアーが、ロシアのサンクト・ペテルブルグの上空を通過して間もなく、延々と広がる森の先に、おびただしい数の湖が見えてきた。フィンランドだ。機体はヘルシンキ・バンター空港に向かって、ゆっくり高度を下げていった。3月初旬のフィンランドは、まだ冬のさ中だった。帽子を被っていなかった私は、タクシーがすぐに来てくれなければ、脳内の血液が凍ってしまうのではないか、という恐怖に襲われた。幸いタクシーの回転は良く、５分ほどで黒のメルセデスに乗車できた。

「サロ市のノキアへお願いします」運転手は、私の行き先をサロと聞いて、急に笑顔になった。サロ市までは直線で90キロ。最上の長距離客である。

私はトゥミネン教授から、「ノキアの幹部を紹介するから、ポリ市に来る途中でサロに寄って、ノキア本社を訪ねるとよい」という言葉をもらっていた。日本人の仕事仲間から、「いきなりノキアの幹部と会えるなんて、すごいことですよ」と言われていたので、長旅の疲れを押して、その日のうちにノキア社に参拝することに決めていた。

それにしても、私は疲れていた。私は運転手に「眠れないでまいったよ。時差に慣れるまで、当分眠れそうにない」と愚痴をこぼした。

すると運転手は、携帯電話でどこかに連絡を入れた。しばらくして、車は高速道路を降り、森を抜けて小さな町に入り、教会に併設されている病院の前で止まった。すぐに、白衣の医師と看護婦がやってきて、車の窓越しに小さな紙袋を手渡してくれた。そして、タクシーは元の高速道路に戻った。紙袋を開けてみると、２週間分の精神安定剤が入っていた。

「請求書がないよ。支払いはどうすればいいんだ」「タダのものに請求書も保険もいりません」「私は外国人で、まだ税金も納めていないんだよ」「フィンランドに入ったからには、あなたはもうフィンランド人です」

タクシーを降りた時、私にとってフィンランドは暖かい国に変わっていた。

北極おろし

ノキア参りを無事に終えた私は、ポリに向かおうとした。サロから目的地のポリまでは北北西へ１８０キロ。タクシーを使うには遠過ぎるし、バスを乗り継ぐには、荷物が多過ぎた。そこで、私はレンタカーを選んだ。私は戌年生まれ。鼻が利く。方向感覚には自信があった。サロの町を出て、地図に従って北に向かうと、すぐに森に入った。森は国土の86％を占める。

雪は降り出したばかりというのに、早、センターラインを消そうとしていた。

出発して40分、アウラの町を通過した頃から風が出て、北国独特の黒雲が空を覆った。「ピュー」という風の音が、「ビュー」に変わった。小粒の霰《あられ》のような粉雪は横殴りになった。この国の一般道は、雪解け水が側溝に落ちやすいように馬の背状で、路肩近くを走ると、側溝に滑り落ちる心配がある。そこで、車はセンター側を走行する。その頼りのセンターラインが消えようとしているのだ。

風が「フィンランドの自然を甘くみるな」と叱りつけるように「ゴーゴー」という音に変わった。これは地吹雪、どこまで激しくなるか分からない。もし、ガソリンが切れたら。エンジンが止まったら。携帯電話はポリ市で落ち着いてから買おうと決めていた。

早春のコケマキ河

甘かった。フィンランドの３分の１は北極圏なのだ。走っている地点の北緯61度は、あの植村直己が遭難したアラスカのマッキンレー山と同緯度にあたるのだ。

ナポレオンはロシアの厳寒に追い返され、以後没落の道をたどった。そのロシア（ソ連）は、第二次大戦でフィンランドを攻めたが、この地吹雪に拒まれて、西進を諦めた。それほど冬の厳しい地で私はご機嫌でレンタカーを借り、軽装で北に向かっているのだ。自分の浅はかさを後悔しながら、ハンドルにしがみつき、前照灯を上向きにして、必死で前に進んだ。

この地吹雪は私への洗礼なのだ。洗礼とは葬るためではなく、誕生を祝うものだ、と思えてきて、地吹雪を鑑賞する余裕が生まれてきた。……阪神に住む人なら、この猛烈な風を「六甲おろし」ならぬ「北極おろし」と命名するに違いなかろう……。やがて車は、この国最長の大河「コケマキ河」にさしかかった。さすれば、私の新天地ポリはすぐ向こう岸にある。

突然の春

「苦あらば楽あり」は北欧にも通じていた。北極おろしの洗礼を受けて、やっとの思いでポリにたどり着いた私を、法外な幸運が待っていた。到着したホテル「ランタカルタノ」では、トゥミネン教授の計らいで、ホテルのオーナーのキモさんが新聞記者と大男の通訳を用意して待っていてくれた。キモさんは、ホテルの他、建築、不動産、食品会社等を経営し、「パパ」と敬愛される、この町のドンである。

ランタカルタノはコケマキ河を望み、白樺に囲まれた美しいホテルで、ポリの人たちの多くが、このホテルの素敵な庭とダイニングで結婚披露宴を挙げる。キモさんが祝辞の代わりに、得意のバイオリンで新婚カップルを祝うのがしきたりになっている。パパという敬称は、ここから来ていた。

英語が苦手なキモさんの横で、通訳をしてくれた大男の名は、ベリペッカ・ケトラ。北欧で最も人気のあるスポーツ、「アイスホッケー」のフィンランド初のプロ選手で、この国で彼を知らぬ者はいない。長野オリンピックでは、監督としてナショナルチームを率いて日本にやってきた。この日同席した新聞記者は、私を大物ビジネスマンと勘違いして、翌朝の地元紙に大きく私の記事を載せた。

私が住むことになったこのポリは、市制４５３年を誇る由緒ある西北地方最大の町で、港があり、飛行場があり、隣国ロシアの古都「サンクト・ペテルブルク」からくるシベリア横断列車の終着地でもある。市内の人口は８万ほどだが、周囲の町村を併せた商圏人口は30万を超すといわれている。この国最大のビール会社「カルフ（熊）」があり、競馬場があり、郊外には北欧第一の砂浜「ウーテリ海岸」もあって、ポリは一流の観光地である。それ故か、他の町に比べて酒場の数が異常に多く、活気と華やぎに満ち、左利きの私にはぴったりの地だ。

新聞のお陰で、地元企業から毎晩のように接待を受け、キモさんの紹介で副市長や役所の幹部たちとも親しくなった。隣接市にある世界第三位の精銅会社からも重役が

ハリネズミ

挨拶にやってきた。日本にいたら決して起こるはずのないことが、次々と起こって、ポリに到着してからの2カ月があっという間に過ぎた。この間にキモさんの斡旋で、オフイス兼自宅が見つかった。建坪330平米の平屋で、敷地は1450平米もある大きな屋敷だ。ちなみに家賃はひと月20万円。東京ならいったいいくら払えばよかろう。そして、我家には先住民が暮らしていた。白樺の根元に大白兎1匹、モミの木の下に6羽の子連れの雉《きじ》夫婦、リンゴの木の上には大きな尻尾のリスが3匹。楓《かえで》の根元にはハリネズミの親子。

5月7日、それまで吹いていた北風が突然南風に変わり、コケマキ河に張っていた氷も、街路ぎわに山と積まれていた雪塊も一度に溶け出して、町中は水浸しになった。ところが、人々の顔は笑いに満ち溢れていた。待ちに待った北欧の春がやってきたのだ。

2　フィンランド。その国と人

美人秘書

北欧の萌える春は、タンポポとの戦いで始まる。早く摘まねば芝生や他の草花はタンポポに覆われて、隣人から「だらしない」とそしられ、不動産価値も下落する。この鬼タンポポを摘みながら、ふと庭先を見ると、その日まで広告しか入っていなかった我家のポストから封筒が溢れ出ていた。手紙の内容から、数日前、私が会社設立の登記手続きを始めたことが、全国紙に掲載されていたことを知った。

企画していた「ユーロ紙幣用財布」の製作が順調に進み、会社を設立することになったのだ。しかし、すぐに社員を雇用すること等、毛頭考えてはいなかった。私はその日の午前中に、「会社設立許可が下りてから、ご連絡いたします」と差出人全員にメールを入れた。

午後、オフィスのチャイムが鳴った。ドアを開けてみると、ピシッとした黒スーツの女性が、大きな封筒を抱いて立っていた。「履歴書だけでも見て下さい」と吸い込まれそうな大きな瞳を一杯に開いて、私に迫ってきた。美人だ。私はついオフィスに通してしまった。

履歴書を見ると、前年までノキア社のポリ支店・支店長秘書をしていたという、堂々たるキャリアの持ち主である。美しい英語と簡潔な説明で、彼女が有能な秘書であることはすぐに分かった。

「どうしてノキアを辞めたのですか？」

「組織変更に伴い、私のボスがサロへ栄転したのです。私は３人の子供の養育環境を変えたくはありませんので、ポリに留まることにしました」

「いつ始まるか分からない職場を、待っているわけにはいかないでしょう？」

「現役時代の手取りと変わらない失業保険をもらっていますので、待つことはできます」

「出勤したら、３人の子供はどうなりますか？」

「近所の人たちがボランティアで喜んで面倒を見てくれますから、問題はありません」

「幼子はよく病気をしますから、医療費もかかるでしょう。それに教育費だって？」

「医療費はタダ。教育費も大学院を出るまでタダです」

ロマのキャデラックが意味するもの

春の日の昼下がり、私のオフィスにはいつになく緊張感が漂っていた。

「会社ができる前に、雇用を約束する」などということは、車を買う前にガソリンを注文するようなものだ。そんな愚を犯すべきではない。秘書として入社を希望する３人の子持ちの美女に、私は懸命に逆転を試みていた。

「うちはノキアのような高給は到底払えませんからね」と、率直な気持ちをぶつけてみた。すると彼女は、「あなたは街でロマがキャデラックを乗り回しているのを見た事はありませんか？」と意外な問いかけをしてきた。そういえば確かに、落ち着いたポリの町には不似合いな、コバルト色のキャデラックのリムジンから、ジプシーの子供たちがゾロゾロと降りてくるのを見たことがある。

「子供たちの父親は、職業に就いてはいないそうです。子供手当で豪華な生活をしているのです。手当の額が子供の数に従って、累進的に上がるからです」

「そんなことがよく許されますね。あなたの国の政治家たちは何をやっているんですか？」

「ある議員が、〝子供手当が移民たちに悪用されている〟と国会で発言しました」

「それは当然な発言でしょう。そして、どうなりましたか？」

「〝貴殿のような金持ちに、弱者のささやかな幸せを妬む資格はない〟と多くの議員から逆に非難され、それがニュースになって、次の選挙では落選しました」

私は言葉を失いかけたが、それでも必死に食い下がった。

「しかし金持ちの議員さんたちは別として、あなたたち一般市民はキャデラックに乗るロマをどう思っているのですか？」

私は、偽善的な答えは許さないぞ、とばかりに彼女を睨みつけた。

「あのキャデラックは、高福祉がきちんと維持されていることを証明する良い広告塔だと思います。お陰で、私たちは欲しい数の子供たちを安心して産めるのです」

……この国は少子化しない……さすれば、将来の年金源も確保されているということか……。「合格、あなたは合格です」という言葉しか、私からは湧いてこなかった。

落とす自信のないままに、絶対落とさねばならぬ約束手形を振り出してしまった。

フィンランド語は言葉の砦

北欧は白夜の季節を迎え、我が町ポリの住人は、道に張り出したパブの椅子に座って、地ビールのカルフを呷《あお》りながら、寒く長い冬の沈黙を取り戻すかのように、早口の会話を深夜まで楽しんでいる。

私は、南の島パラオに移住した友人から「700ほどの現地語を覚えれば、あとは身振り手振りで意志は通じる」と書かれた手紙をもらったことがある。そこで私はフィンランドに転居する前に、英・芬《フィン》辞典からよく使われそうな７００の日常語を選んで暗記した。ところが、フィンランドに到着して5カ月が経ったというのに、私の耳にはそれらの言葉がいっこうに聞こえてこない。

「どうしたことか?」と、ノキア社に10年間勤務し、フィンランド女性を嫁にしたアメリカ人技師にその理由を問うてみた。すると、「辞書に出ているのは原形だが、原形はあまり使われないようだ。俺はフィンランド語をとっくにギブアップした。女房や子供とも英語でしか話せないんだ。うちの会社には外国人技師がたくさんいるけれど、誰一人フィンランド語は話せない」との答えが返ってきた。

後日、私はレストランのオーナー・シェフになり、数人の中国人留学生をアルバイトとして雇うことになるが、彼らの一人が私に「ポリ工専には50人の中国人が勉強していますが、一人を除いて、全員フィンランド語をギブアップしました」と話してくれた。どうやら、フィンランド語は語尾変化が複雑で、それが「ギブアップ」の理由らしいことが分かってきた。私は、「フィンランド語では、動詞の語尾は何通りに変化するのですか?」と現地人に聞きまくったが、誰一人として明快な答えを出してくれなかった。

意を決して、私はポリ大学の比較言語学の教授を訪ねて、同じ質問をしてみた。先生から「フィンランド語では動詞だけではなく、形容詞、副詞、名詞、それに固有名詞も語尾が変化します。14回、語尾が変化する語彙もあります」との答えを頂戴した。ということは、文章の基本であるSVOC（主語、動詞、目的語、補語）にはヒョッとすると14の4乗の組み合わせすらあるということか。それでは、「全ての文章を丸暗記しなさい」ということに他ならないではないか。そんな馬鹿な？　まるで、「ポリ」の語源が熊から身を守る「砦」を意味するように、「フィンランド語」は外国人を排斥するための「言葉の砦」ではないか。

「ヘサスタ」の意味とは

夏の終わりの寂しさは、北欧ではひとしおである。1カ月前、ポリの娘たちは、タンクトップにミニ・パンツ、笑顔で旅立っていったのに、8月中旬、涼し過ぎる秋風から身を守るように、長袖シャツで腕を隠し、それぞれの夏の想い出を胸にしまい、うつむきかげんでポリの街に戻ってくる。この上なく快適な夏のポリから、離れる理由もない私は、大学卒業以来、経験をしたことのない長い夏休みを庭に住む「先住民たち」に餌付けをしながら心行くまで満喫した。

この町唯一のソコス百貨店の本屋に行って、英国人の書いたＣＤ付「フィンランド語」を買い込んで、リンゴの大木に懸架したハンモックに揺られながら、フィンランド語に挑んでみた。かなりの猛勉にもかかわらず、いわし雲がたなびく晩夏になっても、フィンランド語を組み立てる脳細胞は、発芽の兆しさえも見せなかった。フィンランド語はスペル通りのローマ字読みで、私の発音はかなり良いらしい。それが災いしてか、相手は容赦ない早口で返答する。スーパーでレジ待ちのお年寄りに話しかけても、スケート・ボードで遊ぶ少年に声をかけても、戻ってくる言葉は宇宙人のそれでしかない。

フィンランド語で最初に覚えた言葉は〝パンキ〟だった。銀行という意味だ。日本人がＬとＲの区別が苦手のように、フィンランド人はＢとＰの区別が苦手である。銀行のバンクがパンキになり、長椅子のベンチがペンキになった。

８月の末日に、近所の大工さんが私の事務所の内装工事を始めることになっていた。ところが、約束の正午になっても現れない。どうしたことかと思っていると、私の携帯に彼から電話が入った。よほど急いでいるらしく、「ヘサスタ」とひとこと言って切ってしまった。

現地の友人に電話でその言葉の意味を問うた。彼は「言葉の説明は後日するが、大工さんは２時間ほどでそちらに着きますよ」と言ってくれた。その言葉通り、大工さんはすまなそうな顔で午後2時丁度にやってきた。

翌週、その友人がやってきて、ヘサスタの意味を教えてくれた。「最初のヘはヘルシンキという意味です。次のサはここにいますという位置情報、スタはｆｒｏｍの意味を含む接尾語で、方向性を表します。行間（文字間？）から察すると、〝今、私は外国からの帰途で、首都ヘルシンキから電話をしています。次の便でポリに戻りますから、お待ち下さい〟と大工さんはあなたに伝えようとしたのです」

私は、ショックで当分「フィンランド語」の本を開く気になれなかった。

雉《キジ》が仲間に選ばれた理由が分かった

フィンランドでは、野生動物に餌をやることを、「自立を妨げ、生態系を壊す」として、ほとんどの自治体で禁止している。しかし毎朝、庭に住むリスがキッチンの扉を大きなシッポでドンドンと叩き、雉が扉をツンツンと突いたりして、私にパンの耳を催促する。リスのつぶらな瞳や正直そうな雉の真ん丸な目と視線が合ってしまうと、無視などできるものではない。

北欧では会社の帰りに男同士で一杯やることはご法度だ。「飲んだり遊んだりはもっぱらホーム・パーティーで」と決められている。私の仕事が始まってからは、我家でも頻繁にホーム・パーティーが開かれるようになった。私が寿司を握り、天ぷらを揚げ、トンカツを振る舞う。中でも私の作る一口カツは評判が良い。市販のパン粉は粒子が小さ過ぎて、ふっくらと仕上がらない。そこでパン粉は自分で作る。そのため、たくさんのパンの耳が常時残っている。ただ捨てるのはもったいない。毎日それを、庭に住む「家族」にあげていたのだ。

そんな十月中旬のある朝、雉にツンツンと催促されて、キッチンのドアを開くと、鉛色の空から、真っ白い羽毛のような初雪がフワリフワリと舞い降り、ドア先には父雉を先頭に6羽の雉が列を成していた。4羽の子供たちも、親より頭一つ背が低いだけに成長していた。パンの耳を食べ終わった後、父雉だけがドア先から立ち去らず、私の方をじっと見上げた。

数秒後、父雉は突然身を沈め、尾羽を軸に時計回りに回転し始めた。すごい勢いで回転を続け、積り始めた初雪と一緒に小さな木の葉を空中に巻き上げた。何秒回転が続いたであろうか。雉は回転を止めると、私に背を向けて、すっくと立ち上がった。そして次の瞬間、雉は尾羽を中心に身体全部の羽を一杯に広げた。孔雀には及ばぬものの、美しく大きな真円を描いた。羽を閉じると、家族が待つモミの木の方向にゆっくり去っていった。以後、雉の家族は翌春まで私の前に姿を見せなかった。

私が子供の時に桃太郎の本を読むたびに持った、小さな棘のような違和感、「あまり身近にはいない雉が犬や猿と一緒に鬼が島に行く仲間に選ばれたのはなぜか？」から、解放された思いがした。

レジに並んで分かった驚きの我慢強さ

フィンランドはサンタの生地、クリスマスの本場である。若者は恋人と、家族は水入らずで、クリスマス・イヴを過ごす。単身赴任の異邦人が、これほど孤独を感じる時は他にない。

イヴの前日にかかってきた一本の電話が、私をその孤独から救ってくれた。ポリの町には外国人クラブと称される私的な組織が複数ある。よく行くパブで顔馴染みになったエストニアのご婦人が、「料理か飲み物を一品持ってパーティーに参加しませんか？」と言ってきたのだ。持参する料理だが、寒い冬に冷めた料理は出したくない。思案の挙句、その家のキッチンを借りて、揚げたての天ぷらを振る舞うことにした。

イヴの日は朝市に行き、漁民から水揚げしたばかりの甘海老と帆立貝を、農民からは採りたての野菜を仕入れた。午後にはデパートに行き、天ぷらの下に敷く紙を探しに行った。和紙は見つからなかったが油の吸収が良さそうな薄紙が見つかり、代用することにした。平素は閑散としているが、この日ばかりは混雑し、全てのレジに長蛇の列ができていた。私は一番短い列に並んだが、一向に前に進まない。

レジを見ると、老婦人がキャッシャーの娘に楽しげに話しかけている。娘は嫌な顔をせず、その話の相手をしているのだ。驚いたことに、後ろに並ぶ客たちは何の声も上げず、静かに自分の番を待っている。この国の人たちのおとなしさ、辛抱強さをまざまざと見せつけられた（そうか、この国はスウェーデンに６００年、ロシアには１２０年も占領されていたのだ。一人暮らしのおばあさんが、レジで数分間の無駄話をするくらいで、怒り出すような人たちではないのだ）。

私は、数時間後のパーティーに思いを馳せながらレジ待ちをすることにした（天ぷらは、たくさんの具材を一度に味わってもらえる「掻き揚げ」にしよう。大きめの白い皿に薄紙を敷く。そしてこの秋に庭で集めた紅葉と銀杏の葉を薄紙と皿の間に忍ばせる。さくさくの掻き揚げ天ぷらを食べた後、赤と黄色の落葉が皿から浮き上がる。客たちは日本の美に賞賛の声を上げる……）。

「アンテクシー（御免なさい）」とレジの娘から声をかけられた。私の番になっていた。

以後、私はレジ待ちの列を、長さではなく、おばあさんがいるかどうかで決めることにした。

大晦日の花火

外国人クラブのクリスマス会で掻き揚げ天ぷらは大絶賛され、次の集会「大晦日の河畔パーティー」へも招待された。ポリの中心を東西に流れるコケマキ河の畔に、大晦日、多くの市民が集い、恒例の花火大会が開かれた。新年を迎えるカウント・ダウンが始まる頃には、気温は零下10度を大きく下回り、炸裂する無数の暖色系の花火が、

大晦日の花火

ブルーに厚く結氷した川面に映し出された。

南河岸に建てられた市庁舎の時計台の2つの針が、天空を指して重なった時、人々は「ノラ（ゼロ）」と大声を上げて、誰彼となく抱き合い、新年の到来を喜び合った。極寒の地に、人間が生き抜いている証を、大自然に見せつけているかに見えた。その後に開かれた外国人クラブのパーティーは翌早朝まで続いた。

3　日本食の模擬店が大人気に

取らぬ狸の皮算用

北欧の2月の早朝は、庭も道路も雪に没し、全ての音が雪に吸収されて、白黒のサイレント映画を見ているようだ。生き物の存在を示すのは庭を駆け回った兎の足跡だけ。ところが、通勤時間が迫ると、地響きとともにおびただしい数の除雪車が隊列を成してやってくる。除雪車が去った後には、自動車の往来に支障が出ないほどのアスファルトの帯が顔を出す。「ヨーロッパの全ての飛行場が大雪で閉鎖されても、フィンランドの飛行場だけは平常運航ができる」という話は本当だと実感した。

正月元旦から始まったマルカからユーロへの移行（5・95マルカが1ユーロに）はスムーズに行われ、日常の買い物で混乱を来すことはなかった。

私の企画したユーロ紙幣用の財布シリーズは、百貨店やブティックの店頭で順調に売れ、クレジットカード会社や航空会社からも「ギフトとして使いたい」との引き合いが舞い込んだ。最初の1カ月で手持ち在庫は半減し、2月は皮革の手当や、縫製加工の発注で忙しかった。どこからも競合製品の話は出てこない。私の頭の中では、「次はドイツとフランスに売り込み、その次はイタリアとスペイン……」と、限りなく夢が膨れ上がっていった。

好事魔多し。二巡目の納品が終わった3月の初め、注文がピタリと止まった。フィンランド語の新聞が読めなかった私には、その原因がすぐには分からなかったが、デパートのバイヤーからの電話等で徐々にその訳が明らかになった。５００ユーロという高額紙幣の釣り銭を巡ってトラブルが頻発したのだ。

間もなくして、多くの店が「高額紙幣御断り」の張り紙を出すようになった。たちまち、高額ユーロ紙幣はヨーロッパの町から姿を消して、私の大きめな財布は無用の長物となった。

私は文字通り、取らぬ狸の皮算用をしていたのだ。

それは一通の美しい封筒から始まった

北欧も4月に入ると、急に春めいてくる。前夜の雪は朝方には雨に変わり、庭の雪も解け始めた。珍しく早出してきた我が秘書殿が、庭先を指さしながら、「アドニス」と思い切り明るい声で叫んだ。雪間から点々と金色を帯びた黄色い小さな花が顔を覗かせていた。その花を間近に見ると、小ぶりではあるが、まごうことなく福寿草である。私はその時まで、福寿草の洋名がアドニスであることを不覚にも知らなかった。

この日届いた郵便物の中に、美しい一通の封筒が入っていた。差出人はフィンランド西海岸地区建築協会となっている。翌月ポリで開催される「建築展」への招待状だった。その招待状には１葉の便箋が添えられていた。

「貴殿の作る天ぷらやトンカツは大変おいしいと多くの外国人クラブの女性から聞いています。この会場には各地から腕自慢のシェフたちがやってきて、模擬店を開きます。貴殿も日本食を販売する模擬店を出してはいかがでしょうか？」

と書かれた、ランタカルタノのオーナー、キモさんからの手紙であった。キモさんはホテルのオーナーであると同時に、ポリ最大手の建築会社を経営しているので、今回のイベントの実行委員をやっていた。恩人のキモさんから誘われたのでは、断わるわけにはいかない。おだてに乗って木に登ってみようか！　そんな気がしてきた。

天ぷらと一口トンカツで模擬店デビュー

北欧の５月は、白樺が格別に美しい。今でこそフィンランドでは、携帯電話など通信機器が花形産業であるが、長い歴史を通して見れば、白樺や赤松等の木材が産業の中心で、そこから派生する住宅、家具、製紙等のビジネスが高度な福祉国家を支えてきた。「建築展」で日本料理の模擬店を出すことを決めた私は、この展示会を、関連業者たちの集会であろうと軽く考えていた。開催の半月前、現場会場で行われた説明会に出席して、私はその思い違いに気付いた。会場は国際イベントが開催できるほどの巨大ドームだった。参加する他店舗は全国チェーンを展開するレストラン。大型トラックで機材を搬入し、テラス付きの実物大のレストランを建設することが分かった。

そして保健所による資格審査、メニューの提出、サンプルの細菌検査等が義務付けられていた。幸い、ホテル・ランタカルタノのオーナーであるキモさんが、私の模擬店舗をホテルからの一時出店として登録し、テーブルや椅子、冷蔵庫や調理器具等、必用備品の全てを提供してくれた。メニューに生ものは避けて、天ぷらと一口トンカツに絞ったので、保健所による細菌検査にも無事合格した。

一方、建築展の主役である展示物は、建設用機械器具や内外装資材、そして住宅や別荘のモデル・ハウスから、子供用ミニハウスまでと広範囲であった。そのため、来場客の多くは家族連れである。そういえば、ポリ郊外の一戸建住宅の多くの裏庭には、可愛らしい子供用ミニ・ログハウスが建てられている。その多くは、子供が幼稚園に入る頃、両親が手作りしたものだ。このミニハウスは、後に別荘や自宅を自力で建築するための恰好の練習台となる。父親が丸太をチェーンソーで切り、母親はウインチを操って丸太を吊り上げる。両親のこの雄姿を見て、子供たちの心に親への尊敬心が湧き、「早く大人になって、自分たちも同じように自力で家を作ろう」と夢見る。土地も木材も安いフィンランドだからこそできることなのだが、この良き親子関係の連鎖が、この国の教育の根底にある、と私はうらやましく感じている。

子供用ミニハウス

３日間の日程で開かれた建築展の初日は、「ポリにこんなにたくさんの人たちが住んでいたのか！」と、びっくりさせられるほどの来場客があった。正午前には、どこの模擬店の前にも長い列ができた。揚げたてを食べさせたいと思っていた私は、作り置きをしていなかったため、大量の客をさばくことは到底できなかった。辛抱強いフィンランド人も諦めて、他店に流れていった。昼食時間が過ぎると、客足は止まった。他の模擬店は、レストランから喫茶店やビヤ・ホールに転身し、客をつなぎ留めていた。私は閉館時間の5時まで、敗北感に打ちひしがれつつも、「明日は負けないぞ」と懸命に対抗策を考え続けた。

ユカタと下駄で逆転を狙う

「商売は仕掛けで決まる」が私の口癖である。弱者が当たり前のことをしていたのでは、ものなど売れる道理はない。

残された2日間は、日本男児の沽券にかけて、巻き返せねばならぬ。私は、首都ヘルシンキに一軒だけある日本食料品（兼雑貨）店に電話を入れた。すると幸い、店の主人が私の我儘を聞いてくれた。

フィンランドの面積は日本とほぼ同じだが、郵便システムはよくできていて、市内なら即日、遠隔地でも翌日に配達される。店主が閉店後にヘルシンキのバス停郵便局まで、商品を届けてくれたのだ。お陰で翌朝には、ポリのバス停で、注文した女性用の「ユカタと帯と下駄」の2セットを入手できた。

私はバス停から、外国人クラブの世話人に電話を入れて、「見栄えのする娘を2人、アルバイトに雇うことはできないか？」と頼み込んだ。「バイト代は相場の倍」「和服が着られる」という条件が良かったのか、開場時間の午前10時までに、甲乙付けがたい2人の美少女が私の小間に駆けつけてくれた。

この日も昼食前、模擬店の前に長い列ができた。2人の娘たちは初めてのユカタと下駄に、ぎこちない足取りながらも笑顔で、私が徹夜で作った「整理券」を一人一人に手渡してくれた。整理券の表には毛筆で「御礼」と手書きされている。近年欧米では漢字が先進的デザインとして人気が高いからだ。裏面には、秘書殿から教わった現地語で「5時までにご来店下されば、20％値引きします」とコピーされている。

この作戦は吉と出て、閉店まで客足が途切れることはなかった。必死で天ぷらとトンカツを揚げる私に多くの客は、「キートス（ありがとう）」「おいしかった」「お寿司も食べてみたい」と言って帰っていった。疲れているはずなのに、私は幸せで胸が一杯だった。

ポリジャズ祭への模擬店出店の依頼が

日本には、仙台の「七夕」、弘前の「ねぶた」など、大きな夏祭りがあるが、我がポリの町にもこれらに負けない「ポリジャズ」と呼ばれる盛大な祭りがある。

7月の中旬、会期は10日間、来場者数はポリの人口を遥かに超える。ほぼ半世紀前、この町が生んだミュージシャン、ウルキ・カンガスが創設した音楽祭だが、今ではニューヨークやニューオリンズから一流のジャズ・メンが参加し、観客はヨーロッパ全土からやってくる。この年の目玉はポール・サイモン、シャカ・カーン、エルヴィス・コステロだが、ジャズ界の重鎮テッド・カーソンが、今年もニューヨークからやってきて、トランペットを聞かせてくれる。創設以来の連続出演であるから、彼の年は優に70を超えているはずだ。彼も、ポリの夏に魅せられてしまった一人である。

この祭りの時期、ポリはもちろん、近郊の町や村の宿泊施設はすべて満室になる。「ジャズは嫌い、喧噪も嫌」という住人は、ポリジャズ事務局に委託して、自宅を旅行客に貸出し、その賃料でパリや南仏でバカンスを楽しむ。

その事務局から6月の初めに模擬店の出店依頼が届いた。私はこの手紙を見て、建築展での成功を再確認すると同時に、私も「ポリの人」になれた、という喜びを感じた。

しかし、3日間の建築展と、朝の10時から夜中まで、10日間ぶっ通しで開かれるポリジャズとでは、店舗運営の難しさは桁違いだ。しかも、建築展で助けてくれたホテル・ランタカルタノも、この時期は大忙しで、支援の期待などするべくもなかった。

参加の可否を答えあぐねていた6月半ば、事務局員が、ポリジャズの創設者で今でも実行委員長を続けているウルキ・カンガスの「日本料理を是非出して欲しい」という口上書を届けにきた。この国の歴代大統領は、ポリに時々やってくるが、歓迎の晩餐会では、大統領の左にポリ市長が、右にはウルキ・カンガスが座ると決まっている。その人から頼まれてしまったのでは、断わるわけにはいかない。どうしたらよいか分からぬままに、「それでは全力を尽くします」と答えてしまった。

ヨーロッパの祭りから、世界の祭りに

だが、無理なものは無理だ。私は意を決して、ポリジャズ事務局に出店辞退のメールを送った。翌日、「ユッカ」と名乗る恰幅の良い初老の男が私の事務所にやってきた。名刺にはポリ・レストラン協会会長とある。彼はたどたどしい英語で「出店辞退の理由は何ですか?」と聞いてきた。私は「多くの客に対処する調理設備を持っていないから」と答えた。すると彼は私を車に乗せて、ポリの町外れにある大きな倉庫に案内した。ユッカは「私はポリ市内で13のレストランを営業しています。その予備設備がここに入っています。どれでも使って下さい」と言うのだ。必要と考えていた全ての設備や器具がそこに並んでいた。そして彼は私に「日本料理の模擬店が出ると、ポリジャズはヨーロッ

パの祭りから、世界の祭りになるのです」と言った。

私は胸が熱くなり、辞退を撤回する約束をユッカにした。次なる問題は人だ。私一人ではどうにもならない。すると、トゥミネン教授が、「大学生の長女をレジに、長男を雑用係に使ってくれ」と言ってくれた。外国人クラブのメンバーの一人が、「主人（アイスホッケーの現役スター選手ファンドル）の母が、ラトビアから毎年ポリジャズを見にやってきます。彼女はレストランのオーナー・シェフです。彼女を使ってみては」と申し出てくれた。そしてキモさんの二男で食品加工会社の経営者が、「2人のベテラン職員を助っ人に出す」と言ってくれた。これで人は揃った。

「仕事は段取り」が私のモットー

次はメニューだ。油の温度管理が難しい天ぷらは残念だが外し、一口トンカツ、串揚げ、鳥のツクネ等で勝負することにした。肝心なのは、しっかりした段取りを立てることである。「仕事は段取り」が私の半世紀に亘る仕事人生のモットーである。開会までの10日間、私はその段取りに没頭した。

建築展で私は、白衣を着て調理したが、ポリジャズでは日本を演出するため、学生時代に着た柔道着を着て調理することにした。後は、体力勝負だ。

ポリジャズ祭の10日間は、深夜の12時に店を閉め、後片付けをして帰宅すると夜中の2時を回っていた。翌朝は5時に起きて、生鮮市場に食材を仕入れに行かなければならなかった。「つらい」「苦しい」を通り越して、朦朧《もうろう》とした毎日が続いた。お役人や出演中のジャズ・メンたちも模擬店に立ち寄ってくれたそうだが、どう自分が対応したかも思い出せない。

どうにかこの10日間を乗り切れた最大の功労者はファンドルのお母様だった。さすがはプロ、膨大な量の肉や野菜を素晴らしいスピードで下ごしらえしてくれた。かつて、ソ連の圧政下のラトビアという小国で、女手一つ、苦労してレストランを開業した女性の強さを垣間見た気がした。そしてもう一つ、私を支えてくれたのは、「日本料理をありがとう。とてもおいしかった」という、お客たちからの声援だった。祭りが終わった次の3、4日、身体は死んだように眠り続けたが、耳の奥では客たちの褒め言葉が繰り返し響いて、脳内は甘い香りで満たされていた。「ポリで日本レストランを開いたら?」と思うようになったのはこの時からである。

4　君が開く店は、世界最北の日本レストランとなる

電子業界だけではもうやっていけない

　ポリジャズも終わり、早、秋の気配すら感じる8月初旬、心待ちしていた得意先からの注文書が届いた。注文書にメモが添付されていた。そこには「今後、貴社から納入される部品が原因で、もし弊社の製品にトラブルが発生した場合、部品代金の返還の他に、それによって派生した弊社の損害の全額を貴社に請求させて頂きます」と書かれていた。

　この年、日本の大手メーカーが納入した電池の不具合で、米国製のノート・パソコンが発火する事件が起きた。米国メーカーは、その日本企業に、電池の代金だけではなく、事件によって生じた被害総額に匹敵する巨額な賠償請求を突き付けた。世界中の同業者が注目する中、しばらくしてその日本企業は賠償金の支払いに応じた。そのニュースを聞いて、欧州企業は「さすがはサムライ日本」と称賛した。

「サムライ日本」といえば聞こえは良いが、中小企業には無理な話だ。電子業界では、部品の納入も大手企業しかできない時代になったことを意味している。専門知識と素早い対

応で進めてきた私のやり方だけでは、もう通用しないのだ。私の人生における潮目が、はっきりと変わったことを思い知らされた。

しかし、幸いにして大きなショックは受けなかった。私の脳裏には、小さくはあるが、真新しいボートが桟橋で、私を待ってくれている映像が映っていた。そのボートの甲板には、「日本レストラン歓迎、ポリ市民一同」の旗が翻っていた。

私も変わる。あなたも大いに変わってくれ

「言い出したら聞かないアナタに、今さら反対などはいたしません」という、すげないメールが、東京で留守番をしている家内から戻ってきた。次に秘書殿に伺ってみた。すると、「社長が副業で何をしようと勝手ですが、私は貿易会社の社長秘書として雇われておりますので、今まで通り携帯電話関連の仕事に専念させて下さい。入社以来交渉してきた日本の優良メーカーの一つと、代理店契約が結べそうなのです」と、レストラン経営には興味を示さなかった。相談すべき最たる人はキモさんであったが、もし否定されてしまったら、それでおしまいだ。

そこで、キモさんの三男で、建築事業を任されているアンティ君に酒の席で話してみ

た。少し間をおいて、「今の会社を放り出して、レストランのおやじになったら、ポリの皆があなたに抱いている〝先端技術を扱う企業の社長さん〟という尊敬心は、失われるでしょう。それでもよければ、おやりなさい」との返事が返ってきた。

色よい返事を期待していたので、がっかりすると同時に、北欧では職業に貴賤はなく、ましてやヒエラルキー（階級意識）とは無縁の地と思っていた私は、久しい恋人に裏切られたように落ち込んでしまった。

翌日のランチタイムに、トゥミネン教授がヒョッコリと事務所にやってきて、こう言う。

「レストランの話を聞いたよ。面白いじゃないか。寿司は欧米で大ブームだ。きっと成功するよ」

そして自分にもニュースがあると言う。

「我がポリ大学がタンペレ（国内3番目に大きい都市）大学の傘下に組み込まれる話が出てきてね。これを機に、トゥルク（国内2番目に大きい都市）大学に移ろうと考えている。私の生涯の研究課題だったスマートフォンが完成して、私の仕事は一段落した。そこで私は、これから劇的に成長する余地がある、バイオ・メディカルの研究に、方向転換しようと思っているんだ。私も変わる。あなたも大いに変わってくれ」と、私にエールを送ってくれたのだ。

世界最北の日本レストラン

元気を取り戻した私は、〝生き字引〟と呼ばれるポリ大学の准教授に市営図書館でバッタリとであった。私は彼に、レストラン開業の話をしてみた。すると、彼は鞄から取り出したパソコンをピアノのように操りながら「……ない……ない……ない」と繰り返した。そして彼は、私をじっと見つめながら言った。「ポリは北緯61度30分に位置している。これ以北で大きな町といったら、アイスランドのレイキャビック、アラスカのフェアバンクス、ロシアのムルマンスク。そこに日本人の経営するレストランはない。さすれば君が開く店は、世界最北の日本レストランとなる」と言った。

私が開こうとしているのは〝世界最北の日本レストラン〟だ、と知った以上は、後戻りするわけにはいかない。〝世界〟の冠が被せられたチャンスは滅多に訪れるものではない。そのことを教えてくれた准教授は私に「起業は市政も歓迎するところだ。市の下部組織に起業支援センターがある。私が所長に電話をしておくから、明日にでも訪ねるがよい」と言ってくれたのだ。

立ちはだかる高いハードル

前夜の霙《みぞれ》混じりの突風に、銀杏の枝は折れ曲がり、色づいたばかりの黄葉は地面に叩き付けられた。私は黄色い絨毯の上を車で走り、郊外にある起業支援センターに向かった。笑顔で迎えてくれた所長は若年の美女だった。私は、所長の大きな机の前に座った。所長は私のカップにコーヒーを注ぎながら、「この国では、ビジネスマンからいきなりオーナー・シェフになる人はいません。ハードルがとても高いのです」と切り出した。

「どうすればよいかを聞きに参りました」

「レストラン・オーナーズ・ビザに変更する必要があります」

「ビザの変更のために日本に帰国する必要がありますか」

「ビザの書き換えは、自治体の中央警察が行います。ですから、日本に帰国する必要はありません。問題は、ポリで飲食店を営むのは大変だということです。この町には飲食店がたくさんありますから、夏はともかく、冬はどこも開店休業状態です」

「私には良いアイデアがあるのです。夕食時まではレストラン、その後はパブにするのです。ポリの人はみんな呑兵衛ですから、冬でもけっこう客を呼べると思います」

「あなた、〝パブ〟って簡単に言いますけれど、お酒の取り扱いには免許が必要です」

「その酒の免許をどうすれば取れるのかを知るために来ました」

所長の説明によれば、公営の料理学校に２年通った後、国家試験に合格し、さらにはお酒を出す飲食店かホテルのバーで３年間の実習が必要だという。全部で最低でも５年かかる計算だ。

「ひゃー!!　それでは、お医者様になるより大変ではないですか」

「だから言ったでしょう。ハードルが高いって」

私は、脳震盪状態に陥り、しばらく言葉が出なくなった。

ヴァーサで国家試験Ａの一本勝負

数日後、一本の電話がかかってきた。起業支援センターの女所長からだ。

「先日、建築展であなたの資格審査をした保健所長から、あなたには東京での長期間のレストラン経営の実績があることを聞きました。そこで、料理学校への通学と実習期間を免除することに決めました。ＡＢＣの三種類がある国家試験のうち、最も難易度が高い国家試験Ａに合格すれば、営業を許可します」と言うのである。

「国家試験Ａに合格さえすれば、パブも兼業できるわけですね？」

「その通りです。首都のヘルシンキと、スウェーデン人が多く住むヴァーサ市では、スウェーデン語か英語でも受験できます。内容は同じですから、難易度に差はありません。次回のテストはヴァーサ市で2月末に行われます。是非合格して、ポリの町に日本レストランをオープンして下さい」

半世紀前に、スウェーデン人に連れられて、私が初めて訪ねたフィンランドの町は、偶然にも、ヴァーサだった。「ヴァーサが私の人生を決める地だ」。私の心は既に、ポリより遥か北に位置する、石畳の美しいヴァーサの町の上空を旋回していた。

3年間の実習も免除されて、国家試験にさえ合格すれば、レストラン・パブを開店できることになったのだから、猛勉強をしないわけにはいかない。後にも先にもヴァーサが、一本勝負の舞台だ。

賭け事が好きな北欧人

私の受験勉強は、すぐに多くの人の知るところとなり、キモさんの三男のアンティ君が、「ナガイは試験に合格するか否か」の賭けを友人知人に呼びかけていた。

生真面目な北欧人は意外にも賭け事が好きだった。所得に対する厳しい累進課税制度のもと、北欧で大金を手にするには、公営ギャンブルで勝つしか術はないのだ。

人気があるのはロトくじだ。ロト券売り場は至る所にあり、キヨスクでも買える。フィンランドの成人の約７割が、常習的にロト券を購入しているという統計さえある。

人気の理由は、一口１ユーロと買いやすく、毎週新規に発売されているうえ、一等賞金が百万ユーロ（約１億５千万円）と巨額なことだ。よく考えてみると、これは上手い国家戦略だ。高額な税収により、「高福祉」「所得格差の解消」「老後の安心」を国民に担保し、毎週発行するロトくじで、ジャンボな夢を与えている。

私の受験勉強は、ポリ市立料理学校の校長を訪ねて、過去の試験問題集を取得することから始まった。校長の好意で、英文の過去の問題集はすぐにヘルシンキから送られてきた。フィンランドは教育先進国だから、さぞやじっくりと考えさせられる少数の問題が出題されるだろうと予想していたが、「回答時間は45分です」の文章から始まる問題用紙には、○×式の70題がビッシリと印刷されていた。国家試験Ａに合格するには、正解率が75％を超えねばならないという。

しばらくして、アンティ君から電話がかかってきた。賭けは中止だという。誰一人として私が合格する方に賭けないそうだ。私はまたしても、愕然たる思いに打ちのめされた。

四当五落

北欧諸国では、アル中対策の一つとして、パブの数を減らそうとしている。そのため、A級試験は年々難しくなって、合格率は毎年低下している。私に残された時間は、既に50日を割っていた。私が勝つためには尋常の努力では間に合わない。昔、試験といえば四当五落といわれた。4時間しか寝ずに勉強した者は受かり、5時間も寝てしまった者は落ちる、というのだ。私はこの言葉を思い出して、実行に移した。

ポリの町から、ヴァーサ市での試験に挑戦するのは、私を含めて男3人、女2人だった。ユッカ元レストラン協会会長がワゴン車で、私たち5人を送迎してくれることになった。小雪の舞う2月末日、行きの車内は大騒ぎだった。私以外は皆、自信満々で、4人で楽しそうに想定問答を大声で出し合っていた。この4人から私は完全に無視されていた。時たま運転中のユッカが隣に座る私に、「彼らだって受かるかどうか?」と小声で私を慰めてくれた。

この日の試験はヴァーサ市立料理専門学校で行われ、受験者は25人だった。

答案用紙が配られると、「ウオー」というどよめきが起こった。冒頭に「回答時間は45分です」と例年通り書かれていたが、最初の10題は筆記問題だったからだ。質問の内容を読んで、私は2度目のうめき声を上げた。「あなたは2年間の通学で何を習いましたか？　大事と思われることを10挙げて下さい」

「そんなこと俺が知るわけネーだろう!!」頭の中は文字通り真っ白になった。立ち上がって帰ろうとする私を、もう一人の私が懸命に抑えた。私は5分間目を閉じて、冷静になることにのみ集中した。

目を開いて試験用紙全体を眺めると、質問総数は例年通り70題であった。合格ラインがいつも通り、正解率75％に設定されていれば、53題に正解せねばならない。残りは40分、私は筆記問題を無視して、残された60の○×問題に集中した。作戦通り、問題をざっと読み流して、精通しているキーワードの下に、ピッピッと赤線を引いた。数えてみると丁度半分の30題だった。

何とかそれらは解くことができたが、残された時間は5分ほどしかなかった。手付かずの30題は、内容を全く読まずに適当に○×を書き入れた。丁半博打だから、半分は当たる確率がある。既に回答した30題に全て正解し、運に託した問題の半分の15題が当たっていたとしたら、正解は45題となるが、目標の53題には遠く及ばない。どうしても筆記問題で点を稼がねばならなかった。

この時私の脳内で、不思議なことが起こった。数年前に仕事でよく行った、大手電機メーカーの社員食堂の光景が思い浮かんだのだ。料理に興味を持っていた私は、調理場を覗いたことが何度かあった。壁の上部には「清潔」「マナー」「安全」「均一」……と、調理師たちが半紙に書いたたくさんの標語が貼られていた。「よし、これで行こう」と私はそれらに当たる英単語を書き連ねた。最後に思い出した「機敏」という文字を書き入れた時、試験終了のベルが鳴った。

受験生は口々に、「筆記問題に時間を取られて、○×問題をたくさんやり残してしまった」と嘆いていた。真面目な北欧人は、試験問題を頭から順番に解いていく習性があるのだ。

試験結果は2時間後に発表された。合格者は私ともう1人の2人だけだった。ちなみに、私の答案用紙には、「53／75　正解率76％　合格」と書かれてあった。あと1問でも外していたら不合格だった。ユッカは「快挙だ！」と叫んで、私を思い切り高く抱き上げてくれた。

ポリへの帰路、車中は葬式のように静まり返っていた。悲しみをこらえるのは難しいことだが、喜びを押し殺すのはもっと難しいことだとこの時初めて知った。

第2章

困難に打ち克ち「レストラン・パブ・スシ」の開店へ

1　開店への困難な戦い

モンマルトルの丘を飛ぶ極楽トンボ

試験場のヴァーサからの帰路、雪は本降りになった。嬉しさを押し殺している私の心を察してくれたのか、雪道に慣れたユッカはスピードを落とすことなく、飛ばしてくれた。車は4人の落第生を各自宅前で落としてから、我が事務所兼自宅に向かった。家の前の道に、見たこともないほどの長い車の列ができていた。

ユッカが私の「一発合格」をアンティ君に知らせた結果、賭けに外れた友人知人が、豪雪にもかかわらず、一人一品の料理や飲み物を持って、私の帰りを待っていてくれたのだ。

食堂での祝の宴が始まると、私がヘルシンキから過去問集を取り寄せたことや、4時間しか寝ないで勉強したこと等、ついぞ知らない参会者は、口を揃えて「世紀の大穴」「ヴァーサの奇跡」「あなたは天才」と称賛してくれた。それらの賛辞をくすぐったい気持ちで聞き流していたが、可愛い女児を連れた母親が「日本人は噂の通り優秀だったのね。私の娘は日本人に嫁がせたい」と言うかと思えば、スピーチをしたことなどなかった最年長のロシアのご婦人が起立して「ロシアが誇ったバルチック艦隊が東郷元帥に負けたのがやっと納得できました」などと言う。そんな褒め言葉をもらうにつれて、「生まれて初めてお国のためになれた！」と、私も段々乗せられてしまった。

宴半ば、ポリのドン、私の恩人のキモさんが、ポリ市立交響楽団のバイオリニスト「ティテル」と、プロの人気アコーディオン奏者「ベッセ」を引き連れてやってきた。3人の演奏でパーティーは大いに盛り上がった。そろそろお開きにしようと考えていた時、食堂のドアが開き、シルバー・ピンクのロングダウンを纏った若い女性が、肩に積もった雪を払いながら入ってきた。昨日までの我が仇、起業支援センターの美人所長だった。「ユーロ経済圏が結成されて、各国は互いに人々の持つ資格を認め合うようになりました。ミスター・ナガイが本日取ったA級資格は、フランスでもイタリアでも通用して、シェフやソムリエ、そして店のオーナーにもなることができるのです……」

勝利の美酒も効いてきて、この後、開店までに津波のごとくやってくる艱難辛苦《かんなんしんく》を夢想だにしていなかった私の脳内スクリーンには、「ポリの店が一段落したら、パリにもう一つパブを開くのも悪くはないなー」と、モンマルトルの丘の上を、私という名の極楽トンボが、店舗立地を探しながら、ゆっくりと旋回する光景が映し出されていた。

4人の若いスタッフが揃った

私の住むポリは地方都市だ、と改めて感じさせられることが起きた。場所すら決まっていないというのに、日本レストラン開店の噂はポリの町を駆け回って、嬉しい話が次々と舞い込んだ。ポリで3番目に大きい外国人クラブである「フランス会」が、「定例会場として使いたい」、市立料理学校からは「学生の研修店になってはくれませんか？　手当はいりません。交通費は学校側が払います。店が繁盛するように、見栄えのする女子学生2名を半年交代で送り込みましょう」

そして、私がよく行く中華料理屋で働く、〝ココ〟と呼ばれる看板娘が事務所にやってきて、「お店が開いたら働かせて下さい」と言ってきた。竹久夢二の絵から抜け出てきたような美少女で、私がそれまで持っていた「ヤカマシイ中国人」のイメージを払拭した。一緒にやってきた小柄な中国娘〝チャイ〟は、「皿洗いが得意なので、キッチンで働かせて下さい。私がいれば、食器洗浄機は不要です」と豪語した。いかにも働きそうで、私は直に脳内で〝独楽鼠《こまねずみ》のチャイ〟と呼んだ。これでたちまち、4人の若いスタッフが揃ってしまった。

レストランは非日常的な場所

さて、その肝心の店だが、キモさんから建築業と一緒に不動産業も任されているアンティ君が、売りに出ている十指に余るレストランを案内してくれた。規制が年々厳しくなって、新規にレストラン（特にパブ）の開店許可を取得するのは、「至難の業」とされていたからだ。

案内された店には、どれも納得のいく売価が付けられていたが、気に入った店は一軒としてなかった。店探しを始めて2カ月が経ってしまったが、ようやく、私が希望するレストランなどないということに気が付いた。多くの家庭では、落ち着いた照明のもと、清潔な壁に囲まれて、すっきりとした北欧家具とともに暮らしている。ほとんどが共稼ぎで、仕事の後に飲食店には立ち寄らず、家族揃って夕食をとる。レストランに行くのは、客があったり、祝いの時に限られている。

すなわち、レストランは非日常的場所なのだ。だからそこには豪華なシャンデリアや重厚な壁画、ロココ調の猫足のテーブルと椅子、アンティークの食器満載の大きな食器棚など、家庭とは異なるものを求めるのだ。私の理想とする店舗を見つけるには、レストラン以外の店舗を探さねばならないことが分かってきた。

もちろん、一般の店舗をレストランにするには、キッチン、客用の洗面所、クローク、空調等を行政が決めた細則に合わせて改築し、そのうえで新たに市や保健所から営業許可を受けなくてはならない。ここまで来た以上は、険しくとも前に進むしか道はない。

客商売で大事なのは立地である。そこで、市の中心であるプラザの周囲をくまなく歩いてみたところ、売りに出ている素敵なブティックを見つけた。

気に入ったブティックをレストランに改装

4月の下旬、季節外れの大雪の日に、目指すブティックの買い取り交渉が、取引銀行の会議室で行われた。一日も早いレストランの開店を願っていた私は、1セントの値引きも、電球1つの交換も要求せずに、仲介業者が作成した契約書にサインして、額面通りの小切手をオーナーに手渡した。北欧における商売の書き入れ時は、晩春から初秋に限られている。特に我がポリの町では、ポリジャズが開催される7月を逃せば、商売は上がったりだ。残された時間はわずかしかない。

契約を結んだその日の夕方には、キモさんの口利きで内装、水道、電気の専門家が施工現場に集まった。私は日本で店舗開設を何回か経験しているし、内装デザインを兼業した時代もある。私は自信を持って、自作の内装設計図と工程表を披露した。

するといきなり初めから予期せぬことを内装屋から指摘された。

「施工中の事故を回避するために、壁や天井裏の配線や配管の位置を正確に知っておく必要があります。そのためにはまずX線探査をせねばなりません」と言い出した。私が「大至急手配して下さい」と答えると、今度は水道工事屋が「あなたの工程表には床工事が含まれていませんね」と言う。新しく設置される客用トイレは大口径の排水管への改修が必要で、それに準じて、店全体の床を50ミリ以上高くする必要がある。それにより生じる道路との段差を解消するために、店の一部を割いて、店内にスロープのついた廊下を作る必要があると指摘されたのだ。

床の全面工事は大変だ。X線探査を加えれば、予算を遥かにオーバーしてしまう。しょうがない。私はある秘策を提案した。2年前の事務所開設工事の際に知ったのだが、フィンランドの大工さんは木材を「湯水のように」浪費する。短い部材も、長尺の木材から切り出し、残りは使用せずに廃棄してしまう。木材の豊かな国だからこそ起きる現象だ。そこで、必要なサイズの部材を、必要な数だけ製材所に注文すれば、材料費は半分になり、工期も大幅に短縮するはずだ。これにより、オーバーした予算の一部を穴埋めできる。

私の提案に内装屋は「分かりました。ログハウスの輸出業者と相談してみます」と快諾してくれた。

私は元気を取り戻し、「さあ後は実行のみ。皆さん頑張って、一刻も早く仕上げて下さい」と声をかけた。すると、それまで黙っていた電気屋が口を開いた。

「そうはいきません。あなたの図面には空調工事の大事な部分が抜けています」

レストランの大型空調機の排気を裏窓から直には流せない、と言うのだ。ではどうすればよいのか、と詰め寄ると、電気屋はとんでもないことを言い出した。裏窓への大口径の排気管を7階の屋上まで延長するだけでなく、その排気管を外装と同じレンガで包むようにしないとダメだと言うのだ。

「そうしないと市からの建築許可は下りないでしょう。アンティークのレンガは安くはないかも……」

〝新規レストランの開店は大変だ！〟と皆が言った訳が、やっと私にも分かってきた。

戦いは続く

北欧の初夏は白夜の季節。1日を2交代制にして16時間の工事が可能だった。

業者の要求を全て甘受したため、見積もりを遥かにオーバーしたものの、工事は大過なく進められた。必要とされた関係所管への多くの書類も何とか完成し、無事受領された。日本では、小さなレストランの開業に際して、書類審査さえ通過すれば、保健所からの形ばかりの点検が入る程度だが、北欧では大いに違っていた。まず消防署員がやってきた。「裏口を、開口部の大きな非常口に改造して下さい」

次に保健所員がやってきて、「店とキッチンの間に開閉扉を設置して下さい」。これに対して私は、「日本から取り寄せた暖簾《のれん》での仕切りを認めて下さい」と主張した。結局、暖簾の丈を長くすることで折り合いがついた。

次にやってきた建築局員からは、非常口の上部に作った明かり取りの窓を「３重ガラスに変えて下さい」と厳命された。

全てお金と時間がかかることばかりだった。その後も、保健所員が何度もやってきて、「従業員の更衣室の面積を広げなさい」「トイレのドアの開閉方向を左右逆にしなさい」「掃除用具を入れるための小部屋を設置しなさい」等々指導が入り、その都度、図面も修正せねばならなかった。

そして警察署員からは、さらなる難題が突きつけられた。午前11時から夜中の２時まで営業するなら「もう1名、あなたと同じ免許を持つ人を雇用せねば、開店許可は下ろせません」というのだ。

これは大問題だ。ビールの本場、ポリの町で、酒の免許を遊ばせている人がいるとは到底思えない。ここまで来て、全てが無に帰してしまうのか？

私はすがる思いで、元レストラン協会会長のユッカに相談してみた。すると、先日店主の急逝で閉店したパブがあり、その店主の奥様がA級免許を持っているかもしれない、という貴重な情報を与えてくれた。私はすぐその足で、そのご夫人を訪ねてみると「私の免許が日本の方のお役に立てるのなら、私にとっても大変嬉しいことです。私の祖父は〝日露戦争で日本が勝利したお陰で、フィンランドは大いに勇気づけられて、ロシアから独立することができました〟と、よく言っていました」

それから1週間後、内装や配電工事も終わって、真新しいテーブルや椅子が搬入された。〝ついにできた。世界最北の日本レストランが！〟

私は関係者へのお礼と、メニューの試食会を兼ねて、完成パーティを催した。私は心底嬉しかったし、皆も心から喜んでくれた。

2　絶望の淵から

開店には自治会全員の同意が必要

朝はまだ7時というのにオフィスの電話が鳴った。早朝の電話は不吉である。

市役所の聞き慣れない部署からだ。早速、市役所に出向いてみると、受付嬢が2階の小部屋に案内してくれた。部屋に招かれると、ろくなことはない。私も現役時代、部下を叱る時は必ず部屋に呼びつけたものだ。

端正な風貌からして、かなりの地位の役人であることに間違いなかった。彼は薄っぺらな綴りをめくりながら、すぐに本題を切り出した。

「あなたがオープンしようとしているレストランのビルに住む77世帯が、自治会を組織しています。会の規約には、〝ビル内における店舗の業態が、著しく変わる時には、自治会全員の同意が必要とされる〟と書かれています。以前はブティックであった店舗をレストラン・パブに変更するためには、この規約をクリヤーせねばなりませんね」

「77世帯全部の同意を取り付けろということですか？」と私は問い直した。

全世帯から同意をもらうとは、選挙に例えるなら、１００％の投票率を得て、かつ全員から投票してもらうのと同じだ。そんなことはできるわけがない。私は猛烈に腹が立って、「自治会のことに何で役所が首を突っ込むのですか?」とつい不穏当な質問をしてしまった。すると、「私の部署は、市民からの相談にできるだけ対応する使命を負っています。あなたが外国人であるので、私からあなたに伝達したほうが、丸く収まるのではないか、と自治会の人たちは考えたのでしょう」

私は反論に窮してしまった。登り着いたと思った山頂から、いきなり谷底に突き落とされてしまった。もう這い上がる力は残っていない。「絶望」とは、この時のために用意された言葉だ。

全てを清算して、日本に帰ろう

私は家に戻って、夢であれと念じながら、真っ昼間にもかかわらず地元のウオッカ、コスケンコルバをストレートで呷った。酒は喜怒哀楽を助長する。怒りを通り越して悲しみが込み上げてきた。乗り越えても乗り越えても次の罠が待ち受けている。この国で、私が成功することは不可能だ。全てを清算して、日本に帰ろう。打たれ続けても、何とか耐えてきたボクサーが、最後のカウンターパンチを浴びて、ヒザから崩れ堕ちた時のようだった。

酔った勢いを借りて、私は来欧以来、全ての面で援助してくれたキモさんにお詫びと帰国の決心を告げようと、ホテル・ランタカルタノを訪ねた。

意外にもキモさんは笑顔で、「私が自治会長に会って、来週中に説明会を開くように頼みましょう。あなたはその説明会を、〝ご近所の人たちにタダで宣伝ができる良い機会〟と捉えて下さい。出席できない人には、委任状を隣人に託すようにも計らいましょう。それ以外にも私ができることは何でもしますから、希望を捨てないで下さい」と諭してくれた。

翌朝、私のもとに西海岸最大の新聞社「サタクンナンカンサ」から、取材の要請が舞い込んだ。そしてその記事は、フィンランド人が一番読むといわれる日曜日の朝刊に大きく掲載された。太字の見出しは「リトル東京がポリの目抜き通りに」という衝撃的なものだった。内容も、「日本レストランの開店により、ポリは国際都市の仲間入りする」と、すこぶる好意的に書かれていた。

Paluu entisaikojen porilaisiin ravintoloihin

Kokosimme Satakunnan Kansan arkiston antimista kuvagallerian Porin edesmenneistä ruokapaikoista. Lisää kuvia ja tarinoita löydät osoitteesta porilaine.fi

開店を予告する新聞記事

説明会は私の一世一代の舞台となった。

四半世紀封印していたリトグラフを壁に貼った

ビルに住む77世帯から１００％の賛成票を勝ち取るには、相当に準備を整える必要がある。しかし、その時間がない。私はビルの管理会社を訪ねてみた。すると「あのビルは市内でも一等地にありますから、家賃は高めに設定されています。そのため、入居者は、ダブルで年金をもらっている老夫婦か、通勤に時間をかけたくないエリート・サラリーマン等です」と言われた。

フィンランドのお年寄りは日本びいきだ。問題はエリート・サラリーマンの心をどう掴むかだ。考えた末、レストラン・パブを宣伝するのではなく、日本文化のアピールに絞ることにした。地方都市ポリは、ロンドンやパリではない。日本文化に直接接触した人は皆無に等しい。私は東京の家族に電話して、説明会に使用する小道具を大至急送ってもらうことにした。

説明会の前日、集会場を下見させてもらい、音響装置を整え、日本から届いたばかりの四半世紀封印していたリトグラフ（石版画）を壁に貼った。リトグラフの原画はどれも、25年前に隣国のスウェーデンで酒席の余興に万年筆で描いた釈迦牟尼をはじめとする仏像だ。気に入ってくれたストックホルムの画商がそれら全てを買い上げてくれて、リトグラフにおこして販売したのだ。

数年後、縁あって人間国宝、仏師・松久朋琳（1914～1987）と米国旅行をご一緒させて頂いたことがある。帰国後、京都のご自宅に招かれた折、私は愚かにもリトの一枚を見てもらった。先生は一瞥して、「しょせん貴殿は縁無き衆生（信仰心のない俗人）」と言って、暗に、私には仏を描く資質がない事を諭してくれた。私は大いに恥じ入って、絵筆を折り、人様に絵を見せることを封印した。

しかし今、私はのっぴきならない状況に直面している。達人には無価値と見抜かれてしまったが、私のリトがかつて北欧で完売したことも事実である。そう自分に言い聞かせて、四半世紀前に誓った封印を解いた。

封印を解いたリトグラフ

仏様たちが浮かべた笑み

北欧の老人たちが唯一知っている日本の歌は、戦前世界中で人気になった〝♪サクラー　サクラー♪〟なのだ。まずチャイコフスキーの協奏曲「桜」、次に平井康三郎のピアノ幻想曲「桜」、その後は宮城道雄の箏曲「桜」変奏曲を流した。老人たちは懐かしげに曲に聞き入り、涙さえ流してくれる人もいた。

そして採用が決まっている上海娘〝ココ〟を皆に紹介した。長く肩にたらした髪を、後ろに高く結い上げ、唇に紅をさし、眉毛に墨を長めに引き、日本から届いた紺色の浴衣を着せると、竹久夢二の描く美少女から、妖艶な博多人形のモデルに変身した。

若いサラリーマンからはため息が漏れ、エリートＯＬからは羨望の眼がココに浴びせられた。幸いにして、時は初夏。ＯＬたちの服装はＴシャツがほとんどだった。私は、簡単に結べる細めの平帯を使って、残り3枚の色とりどりの浴衣をＯＬたちに試着させた。私が着付けの手伝いをしている時、頭の良いココは覚えたばかりの日本文化をエリート男性たちに上手に伝えてくれた。誰一人ココを中国人と見抜く者はいなかった。

会の終わりに、自治会長が片手に委任状の束を持って、皆の前に立った。そして、レストラン・パブ開店の賛否を皆に問いかけた。会場の隅々から「クラ（イエス）」の声が湧き起こり、全員が起立して賛成の拍手を送ってくれた。

しかし、結論は自治会長が握る委任状の中にある。会長はその束をペラペラとめくった。当然、反対票があった……はずだ。会長は委任状を机に置き、ポケットから自治会規則を取り出して、「最終章に、緊急事態に際しては、〝過半数の賛成をもって、決定権限は会長に一任される〟と書かれております。先日の新聞に、ポリに日本レストランが開店する、と載っています。この国最大のイベント、ポリジャズの開催はもうすぐです。それまでにこの店はオープンされなければなりません。これは、緊急事態です。ここに出席する皆様は自治会員の７割に及びます。よって、私は過半数の賛成を得たものとして、会長権限により〝日本レストランの開店を許可します〟」と宣言した。

一瞬、壁に貼られた仏様たちが、笑みを浮かべたように私には見えた。

名前は「レストラン・パブ・スシ」

「名は体を表す」という諺がある。私はレストラン名を「レストラン・パブ・スシ」とした。おかしな名だが、３業種全てをズバリと表している。翌朝、全ての書類を抱えて市役所に行くと、既に顔なじみになっていた受付嬢が、「ついにやりましたね！」と言って、笑顔で書類を受け付けてくれた。役所の多くの人たちが、居酒屋開店の難しさを知っていて、私の挑戦に興味を持っていたのだ。

新聞で大きく掲載された「ポリに日本レストラン」の記事には、開店日は明示されていなかった。1週間前に店の入口のドアに開店日時を示す小さな張り紙をしただけで、宣伝広告は一切しなかった。初日の入りはたいしたものではないと踏んでいた。ところが、開店1時間前の朝10時には行列ができ始めていた。後に知らされたのだが、地元の複数の中小新聞が、ドアに張られた紙片を見て、ニュースとして掲載していたのだ。開店の11時には、店頭からは最後尾が見えないほどの長い列ができてしまった。

監督官庁の指導に従って、設計変更を繰り返したため、バーのカウンター席を含めても、収容能力は30席に減少していた。

開店当日、レストラン・サイドは2人のフィンランド娘と、助人のロシア女性2人が受け持った。一方キッチン・サイドでは、揚物と盛付けは上海娘ココに、食器の用意と皿洗いを独楽鼠のチャイに割り振って、私はもっぱら寿司握りに専念した。握れる寿司の数は、時間内に炊けるシャリと、仕込んだネタの量で決まってしまう。思い切り頑張った結果、シャリもネタも開店3時間後の午後2時には切れてしまった。

開店後の混乱は1週間続いた

昼食はファスト・フードと決めているアメリカ人とは違い、ヨーロッパ人は昼もスローフードを楽しむ。しかし、心優しい多くの客は、外で待っている人たちのために、早めに昼食を切り上げてくれた。そのため、短時間に客はほぼ4回転して、用意された120人分の食材は予定よりずっと早く払底《ふってい》してしまった。よって、長い列を作っていた客たちを追い返すハメになってしまった。当分はこの調子が続くであろうと予想されたため、整理券を配布するのはやめた。

これがマンションだ

この日、最後に滑り込んだ男性客が、よほどしびれを切らしていたのだろうか、おとなしいはずのフィンランド人なのに、「目薬の容器にビールを注ぐようなものだ。マンション以外ではこれほどたくさんの客は収容できっこない」と叫ぶ声が、キッチンにまで聞こえた。

欧米で、私たち日本人が絶対に言ってはいけない禁句がある。『私はマンションに住んでいます』という言葉だ。たとえ、超高層ビルの最上階の6LDに住んでいたとしてもだ。いくら豪華で広くても、それはあくまでも、集合住宅の一部（a　part）に過ぎないのだ。

豪邸が多いアメリカでも、マンションという言葉は滅多に耳にしない。ネヴァーランドと呼ばれる巨大遊園地を邸内に持っていたマイケル・ジャクソンが急逝した時、テレビ・レポーターが「私は今、彼のマンション前から……」と、報道した時に聞いたくらいのものだ。

混乱に近い状況はほぼ1週間続いた。この期間に来た客は、「おもてなし」は受けられず、長い待ち時間と慌ただしい雰囲気に、がっかりしてしまったに違いなかった。従業員たちも、昼食すら食べられず、疲れ切ってしまっていた。同日にオープンするつもりだった夜のパブは、その日の片付けと翌日の準備に追われ、当分開くことができなかった。私の経験からすると、レストランは、静々と始め、従業員には徐々に仕事に慣れてもらい、次第に客数を増やしていくのが、望ましい姿なのだ。今回のいきなりの盛況は、売上的には大満足だが、理想からは大きくそれてしまっていた。この反動は遠からずやってくるに違いないと予想され、周囲の人たちからの喝采とは裏腹に、開店の疲れと不安から、私は心身ともに困憊してしまった。「小さく産んで、大きく育てよ」とはよく言ったものだ。

3　悪夢の夏至祭

二つの大きな贈り物

古くから使われる「胸突き八丁」という言葉は元来、富士山の頂上まで八丁を残す頃、空気が薄くなり、登山者はまるで胸を突かれたような苦しさに襲われる様子を表したらしい。言外に「ここまで来たからには、倒れるまで前に進まねば」という必死の思いがうかがわれる。開店して1カ月、私はまさにこの言葉通りの日々を続けていた。開店2週目からは、夜中の10時から1時までパブの営業を始めていた。そのため、私の一日の仕事は、朝の6時に河岸に行っての鮮魚の仕入れから始まって、パブの掃除を終える夜中の2時過ぎまで続いた。

何とか頑張れたのは、スタッフの献身的な協力と、周囲からの熱い激励があったからだ。料理学校から派遣されて来た2名の実習生、クリスティーナとシルビアに上海娘ココを加えた3人はこの上ない看板となった。裏方を任された独楽鼠のチャイは、キッチンで黙々と皿洗いや料理の盛り付けをしてくれた。

店には、外国人クラブのご夫人たちがシフトでも組んだかのように、入れ替わり立ち替わり客として来てくれて、昼食のピーク時には配膳の手伝いもしてくれた。そして大いに助けられたのは客のマナーであった。誰もがテーブル・マットの上だけで食事をしてくれて、テーブルをよごす人はいなかった。また、食べ残しをする人は皆無で、レストラン・サイドからは生ゴミが一切出なかった。

開店2カ月目を迎えようとした日の朝、河岸から戻ると、店頭に大きな包みが届いていた。スタッフの助けを借りて開梱してみると、中から2つの大きな丸テーブルが出てきた。

送り状に「あなたの店の前に置いて下さい。売り上げに貢献するはずです」と書かれた小さなメモが添付されていた。送り主はウルキ・カンガス。40年前にポリ・ジャズ祭を創設して、この町に年々莫大な経済効果をもたらしてきた功労者だ。彼は開店の日に来てくれたのだが、待ちきれずに帰ってしまった一人だ。二つの大きな丸テーブルには8名ずつ、計16名が座れる。

私の店には解決せねばならないもう一つの悩みがあった。夜のパブ営業に無理が生じていたことだ。私一人でできる仕事ではないため、順番でスタッフの一人を遅くまで残業させていた。若い娘を夜中に帰宅させるのは大いに気が引けていた。

この日の夕方、料理学校の校長が、「良い人を紹介しましょう」と言って、エミリーという名の女子学生を連れてきた。身長は185センチ、胸板の厚い堂々たる体躯の持ち主だ。彼女は「男に生まれていたら、きっと格闘家になっていたでしょう。酔っぱらいは、任せて下さい。私がつまみ出します」と言いながら、腕を曲げて力コブを見せてくれた。私はすぐに彼女を〝ガードマンのエミリー〟と命名した。合格を即決したことは、いうまでもない。神様は寛大にもこの日、胸突き八丁を超えようとモガいている無神論者同様の私に、大きな2つのプレゼントをお与え下さった。

「人の行く　裏に道あり　花の山」

「こんなことがあってよいのか?」と言いながら、私はこの日何度目かのため息をついた。前日まで連日満員が続いていたのに、この日は朝から人っ子一人来ない。

この6月最終の週末は、夏至祭（フィンランドでは聖ヨハヌス祭と呼ぶ）なのだ。聖ヨハヌスが「愛の神」とされていることからか、別名〝愛の日〟とも呼ばれている。人々は森や湖で、家族や恋人と過ごすことになっている。フィンランド最北の町「ロバニエミ」がサンタクロースの生誕の地とされているので、フィンランドはクリスマスの本場である。

しかし、雪に埋もれたクリスマス祭より、快適な夏に行われる夏至祭の方が、若者たちにとってはより楽しみな祭りなのだ。

夏至祭に皆が郊外に行くことを私は知らなかったわけではない。私は、「多くの店が閉じているなら、開店している店は繁盛するだろう」と考えたのだ。「人の行く　裏に道あり　花の山」が私の信念。「逆張り」が私の看板なのだ。

夏至祭の初日にあたる土曜日、私の店は上海娘ココ、独楽鼠のチャイと私の3人で運営することになった。ランチタイムが過ぎる2時になっても来客数はゼロのままだった。店の前に出てみると、車も人の姿もなく、ゴーストタウンと化していた。皿洗いも盛り付けの仕事も全くなかったチャイは、3時には「私がいても経費の無駄でしょうから」と言って、帰っていった。「みじめ」という言葉は、「客がゼロの日のレストランの店主」のために用意されたように思えた。店に残ったのは、私と上海娘ココだけになった。普段無口なココは、私の気を紛らわせようと、故郷の話や、両親の話をしてくれた。ココの心遣いは嬉しかったが、痛みや、悲しみと違って、みじめさは優しくされればされるほど、増幅されてしまう。夕食時になっても客は誰も来なかったので、ココにも早めに帰宅してもらった。

北欧に4月生まれが多いわけ

店には私だけが残った。それでも、酒飲みは1人や2人は来るだろうと考えて、パブ用の部分照明に切り替えて客を待った。しかし、深夜12時になっても、誰も来なかった。私の逆張りはポリの町では通用しなかったのだ。

帰り支度をして、店の照明を消そうとした時、突然、外国人クラブの一員で、バラの花売りをしている女性が飛び込んできた。「ユッカから〝さぞやナガイはしょげているだろうから、ユーテリ海岸に連れて行ってあげてくれ〟と頼まれました」と彼女は言った。

ポリ郊外のユーテリ海岸は北欧一の砂浜といわれ、かつてはロシアの将校たちの避暑地だった。極東のウラジウオストクから出発するシベリア横断鉄道の終着駅がポリであるのはそのためだ。この海岸沿いにある大きな松林は、夏至祭には周囲に金網が張り巡らされて、キャンプ場となる。多くの若いカップルたちが楽器やテント持参でやってくる。バーベキューを食べ、酒を飲み、大声で歌い、深夜まで大騒ぎする。若者以外は入場を断られる。ユッカはかつて、このキャンプ内に仮設のレストランを出していた。そこで、ここの模様をつぶさに知っていた。花売りの助っ人としてならば、このキャンプに潜入できることも。

普通では行けない所に行ける。これは、面白い。日頃おとなしいフィンランドの若者たちの赤裸々な姿を見てみよう。花売り娘から大きな予備の花籠を渡された私は、彼女の後ろに付いてキャンプ場に入った。私が千円ほどの入場料を払おうとすると、受付の男性が、「あなたはタダです。ユッカから連絡がありました」と言って、意味ありげに私の肩をポンと叩いた。

キャンプでは深夜、男性がバラの花を買って、パートナーにプレゼントするのが習慣となっている。東の空が明るくなる、深夜の2時頃、1カップル、1カップルとテントに消えていく。バラ売りが近づくと、テントの中から男性の声がして、バラの花を1本買う。まだ、ニキビ面の少年や、テントの奥に幼な顔の少女も交じっていた。

「北欧には4月生まれが多い」と聞いたことが何回かあった。4月は小の月だし、日本と違って年度初めというわけでもない。きっと、統計上の誤差と思っていたが、どうやら噂の元は夏至祭に由来していたことが分かった。そして、若過ぎて誕生する夏至カップルが、この国の離婚率を高めているに違いないと思えた。ひどい一日であったが、謎が一つ解けたことで、この日一日も「良し」としよう。

道楽で始めたレストランが命がけの仕事に

悪夢の夏至祭が終わり、レストランを開店してから3カ月が経過した7月の末、私はたった一日の夏期休暇をとった。せっかく北欧一の砂浜を持つウーテリ海岸がポリ郊外にあるのに、そこを訪ねない手はない。

ボスニア湾を渡ってくる風は、塩分が少ないためにサラサラして心地良い。高緯度に位置するので、真夏でも陽光は斜から入り、直射日光を浴びてもメラニン色素を多く持つ私たち日本人には日焼けの心配はない。娘たちの水着姿を肴に、寝転んで飲むビールはこの上なくおいしい。ほどよく酔いが回り、うたた寝を試みたが、悲しいかな頭の中は仕事のことで一杯だ。

夏至祭の２日間は売り上げゼロを記録してしまったが、その翌日からはまた満席の日が続いた。特に7月中旬に開かれたポリジャズ祭の10日間は、夜中まで大盛況だった。よって、最初の３カ月間の売り上げは予想の倍ほどになった。

一方、開店工事に関わった業者たちからも続々と請求書が届いていた。総工費は当初予算の3倍を超えた。レストランの開店は、銀行からの支援を受けながら、３～5年で借入金を返済するのが普通だ。しかし、何の実績も担保もない外国人の私に、資金を貸す銀行はない。どう思案しても私にできることは一つしかなかった。秘書殿が成功した販売代理契約の相手先である企業に、私の株を売却することであった。その結果、私の会社は株式を購入した企業のフィンランド支社となり、秘書殿は取りあえず、秘書から支社長に抜擢されることになった。残念ではあったが「過去より未来だ」と踏ん切りを付けた。道楽で始めたレストランが命がけの仕事になってしまった。

フィンランドで生き残るための3つのS

フィンランドを理解するため避けては通れない言葉に、「シス」がある。だが、私は依然として、シスという言葉を漠然としか理解していなかった。この言葉に初めて接したのは、英国の人気作家が書いたフィンランドへの案内書の表紙だった。

「サウナ、シベリウス、そしてシス（sisu）」と大きな文字でタイトルが書かれ、その下に「フィンランドで生き残るための3つのS」との副題が添えられていた。「どこに行っても食事の前にサウナに招かれる。サウナが苦手では、フィンランドでは生きてはいけない」

シベリウスについては、「どこのパーティーに出ても、バック・ミュージックにシベリウスが流れている。〝ベートーベンの曲ですか？〟などと言ったら、教養を疑われて、ビジネスはまとまらない。20世紀の初頭には〝存命中の最大の作曲家〟といわれる一方、秘密結社フリーメイソンのために多くの楽曲を作った、謎めいた人でもある」と、簡単に説明されていた。

作者は残りの全ての頁を割いて、フィンランド人の〝シス振り〟を、茶化していた。読み終わっても、私にはシスを表現する適切な訳語が浮かんでこなかったし、シスの本当の意味もはっきりとは分からなかった。

そこで、何人もの現地人にシスの意味を聞いてみた。人々は笑いながら「しばらく住めば分かりますよ」と言って答えてくれなかった。ある老人だけが胸を張って、「第二次世界大戦の初期、ロシアの大戦車部隊が東の国境から侵入してきた。かみさんたちはウオッカの瓶に揮発油を入れて、布切れで栓をして、せっせと火炎瓶を作った。俺たちは雪に紛れて戦車に近づき、その布栓に火をつけて、戦車にぶつけたんだ。昼夜なくその攻撃を続けたら、ついにロシア軍は退散したんだ。これが、俺たちのシスだよ」と話してくれた。

そういえば、日本のテレビでも時々紹介される第二次世界大戦のフィンランドの英雄、「白い死神」と呼ばれたシモ・ヘイヘは、スナイパーとして５４２人のロシア兵を射殺した確認戦果を誇っている。白い服を着て雪の中でじっと敵兵を待ち伏せることができたのは、シス以外の何物でもなかろう。

「シス」はフィンランドで生き抜くために、知っておかねばならない三つの大事の一つに選ばれているのだ。早くその本当の意味を見つけねばならない。

4　シスはフィンランドの希有な歴史が残した心の遺産

飼い犬の毛糸で編んだ靴下

雪の上を楽しそうに駆け回る猫たちを見て、私は猫を飼うことに決めた。ペットショップの店長にその旨を伝えると、奥の部屋に通された。店長は「猫を飼うためには玄関や台所の扉の下部に、両側から開閉できる小さな猫用の出入口を作らねばなりません」と言った。どうしたものかと考えていると、私のレストランに時々訪れる老女がやってきた。

彼女は私に「猫の寿命は15歳ほどですが、私はあと何年生きられましょうか。私が死んだら、猫はどうなるでしょう。それを思うと猫を飼うことはできません。だから日に一度はこのお店に来て、猫と過ごすのです」と言う。

私も、いつまでフィンランドにいられるか分からない身だ。「犬は人に添い、猫は家に懐《なつ》く」という。猫を日本に連れて帰るのは可哀想だ。

私は彼女に「犬はお嫌いなのですか?」と問うてみた。「いいえ、大好きです。でも、この年になると犬は抱けません。温もりをもらえるのは猫からだけです」と言いながら、彼女は大きめのハンドバッグからミトンの手袋を取り出した。「これは5年前まで飼っていた

雪上を遊ぶ猫

犬の毛で編みました」と言う。

　よく聞いてみると、フィンランドでは、どこの町にも毛糸を紡ぐ店があって、そこへ犬の毛を持って行くと、適量の羊毛と混紡されて、毛糸の束になって戻ってくる。その毛糸で手袋や靴下に編むと、格好なオリジナル・ギフトとなって、友人たちから喜ばれるそうだ。そういえば私も10年ほど前、トゥミネン教授の奥様より「飼い犬の毛で編みました」と言われて靴下をもらったことがある。今でも冬場はそのソックスを毎日のように履いているが、穴も空いておらず、まだ当分使えそうだ。普通の靴下より遥かに丈夫で暖かい。

　私は猫を飼うかどうかより、その商売の方に興味を持ってしまった。日本でも犬はブームだ。愛犬の毛が混じった毛糸で編まれた靴下や手袋は、並の物では満足しない日本人同士での、最高の贈り物になるに違いない。町の数だけフランチャイズ店ができれば、スタバやマックに負けない一大チェーンが作れるではないか。日本に一時帰国して、このニュー・ビジネスを展開しようと、真剣に考え始めた。

私は、この老女がいつまでも猫を抱き、猫の方も気持ち良さそうに抱かれ続けるのを見ていた。そして、決して買い手になることのないこの老女を、店長はいつも優しく見守っている。日本ではまず見られないこの光景を見て、フィンランド人が持つ一大特徴である〝シス〟の一片を見た思いがした。

シスはフィンランドの心の遺産

フィンランドの面積は日本とほぼ同じで、人口は約20分の1だ。日本と違い平坦な地が多いため、人口は拡散している。二、三の都市部を除けば、国中が過疎地である。そして冬は、全ての土壌が氷結する。生き抜ける植物も昆虫も限られてしまう。従って、それらに依存する動物の種も少ない。すなわち、生態系全体での個の数が、温暖な国と比べると、著しく少ないのだ。その結果、個と個の距離が離れてしまった。

私がポリの町に事務所を開いて最初に驚いたことは、私がコンピュータで仕事をしていると、秘書や友人がその画面を覗き込むのだ。フィンランドに定住して分かったのだが、彼らの覗き見行為は、相手に対して「親しみを示そうとする」行為、もしくは「私はあなたに興味を持っています」という一種の愛情表現なのである。

個と個の距離が離れていると、「かまって欲しい」、「かまってあげたい」という相互心理が生じるのだ。個と個の距離が近い温暖地の住人は、少しでも長い距離を個と個の間に保とうとする。その行為を正当化するために「プライバシーの侵害」というもっともらしい言葉や法規を編み出したのだ。

ある日私はトゥミネン教授に「シスを英文で著して下さい」と頼んだ。彼は「少し考えさせてくれ」と言って、その翌日に「誰もが不可能と思えることでも、根気良く何回も繰り返し挑戦し、最後には目的を達成してしまうこと」と書かれた小さなメモをくれた。私は「雨だれ石を穿《うが》つ」という日本の格言を思い出した。

また、私はフィンランドが日本と自殺率の高さを競っていることも、シスに関係があると気付き始めていた。この国では老後の心配がなく、誰もが快適な暮らしを保証されている。自殺が禁じられているキリスト教のもとに暮らすことも、暗くて寒い冬が長く続くことも、他の北欧諸国と変わりがない。それなのになぜフィンランド人だけが……？

とどのつまりは、シスに行き着く。文字によって明らかにされたフィンランドの歴史の長さを千年とすると、この国はその３分の２以上の７２０余年を隣国スウェーデンとロシアの統治下に置かれた。にもかかわらず、その間民族の文化と誇り、そしてアイデンティティーを失わなかった。シスはその世界史上稀有なる歴史が残した「心の遺産」であろう。

このように、より熱い心の温もりと、濃厚な人間関係をもたらしたシスであるが、その一方、もしその対象となる相手に裏切られた場合、当然、その反動も深く大きいものになる。私が集めたシスに関する知識を良い方から悪い方に並べると次のようになる。「思いやりがある」「お人好し」「代償を求めない」「世話好き」「辛抱強い」「諦めない」「しつこい」「相手を束縛する」「執念深い」「嫉妬深い」「命がけ……鬱《うつ》……自殺」

釣り人からの援助

ポリの多くのレストランはクリスマスが近いこの時期、採算が合わないので店を閉ざす。ところが私は、開店工事費を一部の業者に延べ払いしているし、わずかでも従業員にクリスマスボーナスを出したい。しかし冬は、雪で物流が鈍化し、食材価格が暴騰する。

商売の基本は「入るを計りて、出るを制す」である。「入るを計る」は既に、昼夜のレストラン業に加えて深夜のパブまでやっている。これ以上、どうすればよいというのか？「出るを制す」にしても、目一杯働いてくれる従業員の給料を下げるわけにはいかない。

交通費は皆が自転車通勤なので、カットのしようもない。光熱費は全館空調で、下げることができない。通信費は各自が携帯電話を使い、店の電話は受信だけだから下げようがない。これ以上、どうすればよいというのか？

銀行の支店長は飲み友達だが、外国人が経営するレストラン・パブにおいそれと貸し出しはできない。結論は、「ナポレオンでも不可能だ」であった。このままでは、店の債務は徐々に膨らみ、いつの日か会社も倒産の憂き目に遭うかもしれない。勇ましく日本を出発した自分が、尾羽うち枯らして帰国する、哀れな姿が目に浮かんだ。

帰宅して、いつものように駆けつけ三杯、ウオッカを呷った。身体が温まると、ある狂歌を想い出した。江戸の焼失を防いだ維新の功労者、山岡鉄舟が詠んだ〝酒飲めばなぜか心は春めいて、借金取り（鳥）もウグイスの声〟である。

日頃、「呑兵衛でなかったら、もう少しは出世できたのに」と悔やんでいる私が、この一瞬だけは、「やはり酒は味方だった」と思えた。勇気が湧いてきて、コンピュータを立ち上げる気力が回復した。

仕入ファイルを開けて、コストの多い順に並べ変えてみると、寿司ネタのキングサーモンが一位で、次にマグロ、そして揚物の材料である豚肉と鶏肉が上位に並んだ。

その週末の夕方に、仕入原価を低減させる好事が起きた。「釣り愛好会」の面々が、その日仕立てた釣り舟をコケマキ河の桟橋に付けて、私の店に真っすぐやってきた。皆の笑顔が、その日の好漁を伝えていた。そこで私は「鮮度の良い生のサーモンを、安く仕入れる方法はありませんかね?」と問うてみた。

生のサーモンにありつけるのは釣り人だけ

すると釣り人の一人が、「流通する大型の魚は、一旦は冷凍されていますよ。生のサーモンにありつけるのは、私たち釣り人だけです」と答えた。私は思わず「朝市の魚屋さんから仕入れているサーモンは、生ではなくて、解凍されたものだったのですね。何だか騙されていたような気がします!」と愚痴ってしまった。

いつも私が買っているサーモンは、ノルウェーの養殖もので、解凍されたものだという。

私が「いつも私が捌いている10キロ級のサーモンは、キングサーモンではないのですか?」と問うてみると、皆から会長と呼ばれている初老が「世界中で大量に売られているノルウェー産は、他国の海で獲れたものより遥かに大きいので、業者がかってに〝キングサーモン〟と呼んでいるんだよ。私たちが狙うキングサーモンとは、三角形を作って川を遡上《そじょう》する群れの、頂点を泳ぐサーモンのことだ。流れの抵抗をもろに受けるので、とても大きくて力が強いものが選ばれる。私は生まれてこのかた、7匹も釣り上げましたよ」と、胸を張って会員を見回した。

10キロ級なら、いつでもお持ちしますよ

若いメンバーの一人が「10キロ級なら、いつでもお持ちしますよ。税務申告がややこしくなるので、代金は受け取れません」と言ってくれた。私は「心苦しくて、タダではもらえませんよ」と言うと、「世界最北のこのお寿司屋で、私の釣った魚がお役に立てれば、これほど誇らしいことはありません」と涙が出るような答えが返ってきた。「私のも使って下さい」と、次々に申し出があった。

サーモンの仕入れがタダになった時の、少しだけ改善されたバランス・シートが目に浮かんだ。

しかし、こんな好事はたびたび起こるものではない。「あとは自力で、冬を乗り切ろう」とファイトが湧いてきた。

5　フィンランドあれこれ

サウナにはいろいろのタイプ

さて、フィンランドで生き抜くため3つのSの一つはサウナだが、フィンランドのビジネスマンは、外国人の顧客を自宅に招待することが多い。ディナーの前にサウナに誘い、サウナの後にはビールを振る舞う。もし「私はサウナが苦手です」と言ったら、到底フィンランドではビジネスで成功しないだろう。

ある日、郊外の友人を訪ねた帰り道、びっくりする光景を見た。寒さの中、水着姿の十数名の男女が、道端の大きな扁平の岩の上に腰かけながら、缶ビールを呷っていた。驚いた私は「何をしているんですか?」と質問してみた。すると若者の一人が、岩盤の下部に作られた小さな扉を開けて、私を中に案内してくれた。そこは戦時下に作られた防空壕で、戦後、サウナ風呂に改造したという。

サウナはフィンランド国内に160万ユニットあるといわれる。530万人の人口を鑑みると、その普及率の高さに驚かされる。1世帯の平均人数を4人と仮定すると、サウナは1世帯1ユニットを超える。別荘におけるサウナの普及率は100%に近いからだと推測される。現に私は、サウナのないフィンランド人の別荘に行ったことがない。

サウナの魅力は、入浴して間もなく、高温のため毛穴が開き、外界で付着した汚染物質はもちろん、皮下に溜まった老廃物も、大量の汗とともに洗い流してくれると感じるところにある。

ポリの我が家の電気式サウナ

フィンランドで最も普及しているサウナは、マイルド・アンド・ウエットと呼ばれる。熱源の覆いの上に積まれたサウナ・ストーン（香花石）に水をかけて、ロウリュと呼ばれるマイナス・イオンの蒸気を発生させながら入浴するものだ。室温は70～90度と、日本流サウナより低いため、長時間サウナを楽しむことができる。
サウナの内装材には主にスプルース（日本ではホワイトウッドと呼ぶ）が使われる。節目が少なく、肌触りが良い。比重が低い割には耐久性に優れ、しかも安価に入手できる。そして何よりも加工性に優れていることが、素人の日曜大工によるサウナ風呂造りを可能にして、その普及に貢献している。

都市部では、熱源として、電気炉が主流になっている。薪を炊く手間がいらず、いつでも簡単にサウナに入れるからだ。電気炉は家庭サウナの普及率を格段に高め、それまで庶民の社交場であった公衆サウナの数は減少の一途をたどっている。楽しかった公衆サウナを懐かしむ老人たちの様は、お風呂屋さんの減少を嘆く日本の下町の高齢者に酷似している。

スモーク式とトルコ式もある

フィンランドにはこの他に、スモーク式とトルコ式のサウナがある。スモーク式サウナは文字通り煙を充満させるもので、サウナの原型といわれる。もともとサウナは、鮭やトナカイ肉等を燻製にする加工室であったが、風呂として流用されたものと推測される。水に濡らしたビヒタと呼ばれる白樺の小枝の束で、仲間の背や胸を叩き合い、白樺の香りを楽しみながら入るスモーク式サウナは、太古の野性味を今に伝えている。

フィンランドの女性は、このスモーク式サウナで出産した人が多かった。トゥミネン教授の母親もサウナで生まれたと言っていたので、サウナ出産はそう古い話ではない。高温と煙によって室内は完全滅菌されるので、衛生的かつリラックスして子供を産むことができたのだ。

もう一つのトルコ式サウナは、リゾート・ホテルやスポーツ施設の公衆サウナとして人気がある。ミスティーサウナとも呼ばれ、サウナ室の壁面に隠されたスチーム装置から、白色の霧状蒸気が噴出される。室温は50～55度程度の低温であるが、高湿度のため、入浴するとすぐに汗が出始める。白色の霧の中に、人の輪郭がボーッと見えるくらいだ。そこで、トルコ式サウナはどこでも混浴である。しかも、衛生上の観点からか、水着は禁止されている。裸の男女が一緒に入浴を楽しめるのも、トルコ式サウナの人気の秘密である。

私はトルコ式サウナで、一度だけ珍事件に遭遇したことがある。スチーム装置が急に故障したのだ。霧があっという間に消えて、瞬時に空気が透明になり、男女お互いの裸をさらけ出してしまった。日本ならおそらく女性は悲鳴を上げ、男性は大慌てしたに違いない。ここでは、全員が大笑いをした。

野性のなごり

11月に降った雪は、遅い春の到来まで、根雪となってしまう。日本なら「雪見酒」と洒落てもいられようが、来る日も来る日も暗い雪の日が続くと、酒の力を借りざるを得ず、酒浸りの日が続いてしまう。統計によると、北欧の北極圏に住む遊牧民「サーメ」の一人当たりのアルコール消費量が世界一とのことだが、それを非難することはできない（それに準じて私の深酒も許して欲しい）。

夜、寝る前に飲む酒をナイトキャップと呼ぶ。私はこれがないと眠ることができない。ナイトキャップはビールやワインではなく、アルコール度の強いウオッカかブランデーでなくてはならない。滅多には起こらないことだが、老女に諭されて、買うつもりの猫を諦めて、手ぶらで帰ってきたこの日、どちらの酒も切らしてしまっていた。

私の家のそばに「プーバリ」（木の酒場）という名のパブがある。話は遡《さかのぼ》るが、私がこの自宅兼事務所をオーナーのキモさんから借り受けた時、キモさんから「ポリはおおむね安全な町だが、あなたの家のそばにある『プーバリ』だけには行ってはいけません。それだけは約束して下さい」と言われて、私は「クラ（Ｙｅｓの意）」と答えた。他の人ならともかく、大恩人のキモさんとの約束だけは簡単に反古《ほご》にするわけにはいかない。

そうだ、私には酒類取扱い免許がある。「プーバリ」の入口でオーナーを呼び出し、ウオッカを一瓶、分けてもらえばよい、と勝手な理屈を編み出して、「プーバリ」の扉を開けてしまった。

店は想像していた丸太作りの暗い酒場とは全く違っていた。壁も天井も、ターコイズ・ブルーのペイントで塗られ、パブというよりはサロンと呼ばれるに相応しい店だった。調度品や野暮な装飾もないことが店を一層美しくしていた。レジに座っていた男を見て私は驚いた。週に一度は私の店に来て、寿司とトンカツを食べていく常連客で、皆からトニーと呼ばれる中年男だった。

私が酒を切らしてしまったことを話すと、「私の個人用のウオッカがあるので、１本お持ちなさい」と言って、私からの支払いを断った。市の条例で、客にタダで酒を出すことは禁じられているので、「私の個人用」と言ってくれたのだ。しかし、私の店の常連客から逆に施しを受けては、タダで帰るわけには行かなくなった。

「プーバリ」に調度品や装飾品がなかった理由

そこで私は上物のブランデーを一杯だけ、店内で飲んでいくことにした。カウンターは生憎と満席だったので、仕方なく４人掛けのテーブル席に座った。テーブルを一人で占拠するのは居心地が良いものではなかったが、すぐにほろ酔いの背の高い女性がテーブル越しにやってきて、「あなたのこと知っている。新聞で読んだ」と言いながら私の前に座った。酔って話しかけてくる女性は尻軽が相場だ。ましてや、ここは「プーバリ」だ。緩みかかった気分を引き締め直した。

しかし、彼女をよく見ると品のある顔立ちで、なかなかの美人だ。年の頃は40と見た。白のセーターに、刺繍を施した薄水色のジーンズのヴェストを羽織って、センスも悪くなかった。上手くはないが、一所懸命英語で新聞記事の感想や日本についての知識を披露していた。「新幹線は速い。東京タワーはエッフェル塔より高い。地下鉄は便利。いつか東京に行ってみたい」と少女のように語ってくれた。

話は盛り上がり、私は彼女にブランデーを振る舞った。「こんな店だったら、もっと早くから来ればよかった」と思うようになった。30分ほど経ったであろうか、カウンターに座って飲んでいた若者が彼女の後ろにやってきて、早口で彼女に何かを言った。おそらく、すぐに席に戻ってくると思っていた彼女が、私と長話になったので、連れ戻しにきたのだろう。

すると、彼女は腰を浮かせ、振り向きざまに、鋭いパンチを放った。回転力の加わった彼女のフックは若者の顔面を見事にとらえた。青年はモンドリ打って、後方のカウンター席に倒れ込んだ。腰高のスツールに座っていた男女が、音を立てて将棋倒しになった。ひっくり返った男が、そばに立っていた男の足を払った。スツールから落ちた女は、空になってしまったジョッキを天井に向かって投げた。さっきまで静かだった「プーバリ」が一瞬にして西部劇の乱闘場面と化した。私はウオッカの瓶を抱えて一目散に店の外に出ようとした。

しかし、入口のそばで争っていた女性が放った逆手打ちが、私の右頬を激しく叩いた。ブランデーのせいか、興奮していたためか、痛みは覚えなかった。しかし、口内でギリッと嫌な音がした。

翌朝、母譲りの丈夫な歯の１本がぐらぐらになっていた。滅多に行かない歯医者に行くはめになった。歯医者さんは大柄な中年男だった。私が「プーバリ」の話をすると、「あの店は乱闘騒ぎが売りなんですよ。あそこで前歯を折った客がしょっちゅううちにやってきます」

なるほど、「プーバリ」には調度品や装飾品が一切置かれていなかった理由が分かった。欧州人は元来狩猟民族だ。生きるために毎日、獣と戦ったのだ。紳士の国といわれる英国は、今もフーリガンの本場である。隣国のスウェーデン人やノルウェー人は、戦を生業としたバイキングの末裔だ。いまだ欧米人には、野性のなごりが潜んでいるのだ。

恩人のキモさんとの約束を破った報いを、直ちに受けてしまった私は、診察台の上で大きく口を開けながら、「天罰覿面《てきめん》」「天網恢々《てんもうかいかい》粗にして漏らさず（神様が張った監視の網は、大雑把に見えるが、小さな罪も決して見逃さない、の意）」といった古い戒《いまし》めの諺《ことわざ》ばかりを思い出していた。

蜘蛛の糸

パブでの乱闘に巻き込まれた結果、ぐらぐらになってしまった1本の奥歯は、お医者様の治療のかいもなく、数日後の夜更けに抜け落ちてしまった。日本から送られてきた、大好物のゲンコツ煎餅を寝酒の肴にしたのが致命的だった。

「下の歯が抜けたら屋根に投げろ」と日本ではいわれるが、雪の降る深夜にいったいどうしたらよいものか、と私はいつもテーブル代わりに使う、キッチンの出窓の前で思案していた。その時、出窓に沿って吊るされている白いカーテンの最下部をゆっくりと動く、黒っぽい小さな点が見えた。目を近づけると、ネズミ色をした小さな一匹の蜘蛛であった。

日本では夜の蜘蛛は泥棒を呼ぶといわれ、不吉なものとされている。ましてや、歯が抜けてしまった直後である。本来の私なら、ティシューで潰して、ゴミ箱に投げ捨てるところだ。しかし極寒の夜、この大きな家の中で生きているものは、自分だけだと思っていた私は、その他にも生命体が存在していたことに驚かされた。そして同時に、芥川の『蜘蛛の糸』を思い出した。

生涯に一度だけ「一匹の蜘蛛を助けた」という極悪人の善行を思い出したお釈迦様が、蜘蛛の糸で彼を地獄池から天国に引き揚げようとした逸話だ。

冬になり、人通りの絶えたポリの町で、私のレストランへ来る客は固定客のみに激減し、経営は夜のパブに来る酔客で辛《から》くもなりたっている。いろいろ言い繕《つくろ》ってはみても、今の私はオーナー・シェフではなく、呑兵衛の居酒屋のおやじでしかない。到底天国には行けそうにない。しかし、この蜘蛛さえ助ければ、天国に行けるかもしれない、と考えた。

私は、そっと右手の中指を蜘蛛の前に近づけてみた。数秒後、蜘蛛は私の指に乗り移ってきた。私を味方だと判断したのだろう。そして、ゆっくりと手の平に向かって這い寄ってきた。手の平の窪みでしばらく散歩した後、またゆっくりと中指を伝ってカーテンに向かった。去ってゆく蜘蛛に小さな声で〝ありがとう、また来いよ〟と話しかけた。私の言葉を受けてか、蜘蛛は中指の先端でしばらく佇み、そしてゆっくりとカーテンに戻っていった。その間私は、蜘蛛と人間は心が通じ合うのだ、と確信した。だからこそお釈迦様は数多の生物の中から蜘蛛をもって人を救おうとしたのだ。

ポリの友人たちが飾ってくれた
クリスマスツリー

クリスマスツリーで憂さを晴らす

私は家内に、この蜘蛛の話をメールで伝えた。すると、「猫の次は蜘蛛ですか！ クリスマスツリーでも飾って、憂さを晴らしては？」との返事が戻ってきた。

なるほど……。私はまずモミの木の入手方法を考えてみた。置く場所はリヴィングがよい。しかしそこは、かつて来客用接待室であっただけに、非常に広く天井も高い。よってクリスマスツリーは大きくなくてはならない。

外国人クラブのメンバーに助けを求めると、大きなモミの木だけではなく、夏みかん大のグラスボール、ＬＥＤ電球があしらわれた金や銀のモールが届き、あっという間に立派なクリスマスツリーが完成し、私の心も華やいできた。北欧人にとって、クリスマスツリーは、寒くて暗い冬をやり過ごす重要な手段であることを改めて知らされた。

店が終わって深夜に店から帰ると、タイマーでセットされたクリスマスツリーが私の帰りを待っていてくれた。グラスにブランデーを満たしてから、半時ほどツリーの前のソファーに座った。数色のＬＥＤが放つ光が、色とりどりのグラスボールに反射されて、光のシャワーとなって私を包んでくれる。それまでとは全く違う幸せな夜を過ごせるようになった。ブランデーグラスを揺らすと琥珀色の水面がキラキラと光を放つ。その光の一粒一粒からポリの人たちの友愛や、イエス様の慈悲が感じられた。

お釈迦様がイエス様に依頼して、あの小さな蜘蛛を差し向け、北欧の厳寒を乗り切れるように私を励まされたに違いなかった。

第3章

フィンランドで巡り合った不思議なひと、もの、習慣……

1　待ち人は、忘れた頃にやってくる

幸せの黄色いマフラー

3月に入ると高緯度にある北欧では、日照時間が加速度的に長くなる。春分が近づくにつれて、北欧の春は大股でやってくるのだ。

いよいよ私の店にも客が戻ってくる。〝春や春、春南方のローマンス〟というサイレント映画の活弁士の名文句が思わず口をつく。

しかし、このポカポカ陽気に騙されてはいけない。私は危うく大事に遭遇しそうになった。それは、ポリの市営アリーナでシーズン最後のアイスホッケー戦が行われた晩のことである。この試合に勝ったポリチームの主力である友人のファンドル選手が、仲間と大勢のファンを引き連れて店に来てくれた。店頭の照明を消し、閉店したことにして、私も祝いのパーティーに参加して大いに飲んだ。

店の片付けをして、帰宅しようとタクシー・センターに電話をしたが、何回かけても話し中だった。無理はない。99台しかないこの町のタクシーに、多くのホッケーファンが乗り込もうとしているのだ。それではと、数ブロック先のタクシー乗り場に行ってみたが、

そこにもタクシー待ちの長い列ができていた。

丁度この時、南西風が北風に変わって、街は一挙に北極気候に飲み込まれてしまった。一度に酔いが醒めて、私は帽子と手袋を探したが、ポケットにもバッグにも入っていなかった。店まではさして遠くはないのだが、取りに戻ったら、列の一番後ろに並び返さねばならない。

耳たぶが痛くなり始めた。そこで、手で耳を覆うことにした。するとたちまち指が猛烈に痛くなってきた。耳をなくすか、指をなくすかの選択に迫られた。

もし指をなくしたら、明日の寿司が握れない。私は、両手をポケットに戻した。その時、すぐ後ろに並んでいた背の高い女性が、地面に置いていた小型の旅行鞄を開けて、非常に長い黄色いマフラーを取り出して、私に手渡してくれた。

「悲劇の舞姫」イサドラ・ダンカン

イサドラのマフラーだ。かつて大流行した丈の非常に長いマフラーがまた戻ってきたのだ。お陰で、私は顔全体をぐるぐる巻きにできた。北欧では娘がこの長いマフラーをして外出しようとすると、母親は〝気をつけるのよ、イサドラみたいにならないように！〟と注意する。イサドラとは、スパイのマタ・ハリと並んで、ヨーロッパが20世紀に生んだ女性レジェンドの第一人者でイサドラ・ダンカンのことである。

舞踏家である彼女は、ニースでの舞台の後、たくさんのファンに見送られながらイタリアの名車ブガッティに乗って演舞場を後にした。発車直後、首に巻いた長いマフラーの先がタイヤのスポークに絡まってしまい、停車した時には、イサドラの千切れた首が、50メートルも後ろで見送るファンたちの前に転がった。死後、その数奇な運命から「悲劇の舞姫」「美の化身」「バレエ界の革命児」等多くの修飾語が冠せられた。一世紀近く前の話だが、北欧では今でもよく、言の葉に上る。

日本人は忘れ上手だ。「嫌な話は忘れましょう!」「昔のことは水に流して、前に進みましょう!」が日本人の正論であり、徳でもある。

北欧人はそうではない。私が、「フィンランドでも、中世には魔女狩りが行われましたよね!」と言うと、彼らは顔を曇らせて、「御免なさい」と自分が犯した罪のように謝る。

外国人クラブの会合では、会員の一女性が「ウクライナは13世紀の中頃から15世紀の終盤までの250年余、タタール(モンゴールの一派)に占領されて、残忍な扱いを受けました。〝タタールの軛《くびき》〟は、決して忘れない恥辱です」と、まるで自分の身に起こった事のように悔しがっていた。

待ち人来たらず

「待ち人来たらず」という言葉がある。私が見たどの辞書にも、「待つ相手が来ない意」と簡単にしか記されていない。しかし、私の人生観からすると、この言葉は「待っている時は、得てして人や返事は来ないものだ。諦めてしまったり、忘れた時にやってくるのだ」という意味に思えてならない。

あのアイスホッケーの試合が行われた晩、私の耳と指を凍傷から救ってくれた黄色いマフラーは、いい香りがして、タクシー待ちをする私の心まで甘く温かくしてくれた。マフラーの持ち主の背の高い女性は、小さな旅行バッグを持っていたことや、美しく尖った顎の型からして、スウェーデン女性だと見当をつけた。

うろ覚えのスウェーデン語で礼を述べたが、返事は返ってこなかった。その代わり、右手の5本の指をいっぱいに開いて、そのまま持っていなさい、という仕草をした。私はレストランの住所が入った名刺を彼女に渡して「いつか来て下さい。日本食をご馳走します」と今度は英語で礼を述べた。

数日後、私はヘルシンキのデパートで、あのいい香りを嗅いだ。スウェーデン製の香水「イサドラ」の売り場からのものだった。イサドラはアパレルやバッグのブランドにもなっている。バッグ売り場に行ってみると、真っ白い地にＩＳＡＤＯＲＡの名が大きく入ったスポーツバッグが売られていた。迷わず私はそれを購入した。

私はポリに戻ると早速、店のクローク・ルームの帽子掛けに黄色いマフラーを吊り下げて、その上の棚にイサドラのバッグを置いて、彼女の来店を待った。映画『幸福の黄色いハンカチ』の主人公になった気分だ。しかし、待ち人来たらず。本格的な春が訪れた5月の初旬に、マフラーをバッグに入れて、私のロッカーに移した。

なぜ教育レベルが世界のトップなのか

イースター（復活祭）を境にポリの町は活気を取り戻す。若いカップルは肩を抱き合って春の散歩を楽しみ、大人たちはレストランの店頭に張り出された丸テーブルを囲み、戸外でのお茶会を楽しむ。

5月に入ると、期待通りに客の数は急に増えた。しかも日本人客も徐々に来るようになった。世界初の高レベル放射性廃棄物の地下処理場〝オンカロ〟プロジェクトが本格的に動き始めたからだ。

日本人客のほとんどは、紺のスーツを着た、政・官や電力会社の人たちであった。彼らはポリ空港が中央駅のすぐ裏にあり、しかもチェックインに時間がかからないことを知って、私の店に来て、寿司や天ぷらを食べながら時間を潰すのだ。世間話の後、彼らの多くが「お寿司屋さんに質問することではないけれど、なぜフィンランドの教育レベルは世界のトップなのかね?」と聞いてくる。

職業で相手を値踏みする人を好きにはなれない。私は「教育は手品じゃないんですから、種や仕掛けなどはありませんよ。知りたければまず、この国の歴史をしっかり学んで下さい」とすげなく答えることにしている。

しかしこの日の客は違っていた。「私はフリーのルポライターです。出版社の依頼でフィンランドの教育都市といわれる、ユヴァスキュラとオウルの町で取材をしてきましたが、別段の違いを見つけることができませんでした。この国の歴史は帰国してから勉強しますが、もう少し教えてくれませんか。手ぶらで帰ったら次の仕事がもらえません」と言う。

反発力と方向性

私は「フィンランドの歴史を勉強するなら、ついでにユダヤ民族の歴史も勉強して下さい」と言った。ユダヤ人の総人口はたった1500万人。世界の人口の0・2%にもならない。そのユダヤ人がもらったノーベル賞の数は、全体の4分の1を占める。

「アインシュタインやサミュエルソンをはじめ、多くの優秀な科学者や経済学者が輩出されていることはあなたもご存知でしょう」

「フィンランド人やユダヤ人は優秀な民族ということですか？」

「民族の優秀性は遺伝によるものではないと思います」

「それでは、いったい何が両民族の教育レベルを高めたのですか？」

「〝モーゼのエジプト脱出〟以来、三千余年、ユダヤ民族は世界中で迫害を受け続けました。フィンランドも歴史のほとんどを、隣国のロシアやスウェーデンの統治下に置かれました」

要は反発力だと思う。強く叩かれたボールは遠くに飛ぶ。現代のフィンランドに焦点を絞れば、ボールの飛ぶ距離は、国の予算配分によって決められたように思える。アメリカでは国際安全保障に、中国では国内の治安と軍事拡大に、新興国ではインフラに重点が置かれている。日本はといえばバラマキ型の予算配分だ。それに比べて北欧は、社会福祉に多くの予算を配分しており、中でもフィンランドは教育に最大の投資をしている。幼稚園から大学院まで学費も教材も全てタダ。そう私は持論を展開した。

私は段々熱くなってきて「この国では受験のための勉強はしません。ましてや塾などもありません。猛烈な受験戦争をしている、韓国や中国から、サイエンス分野でノーベル賞をもらった人はいないでしょう。受験勉強は身に付かないのですよ」とまで言った。

話に夢中になっている時、店のドアが開いて、あの背の高いご夫人が入ってきた。待ち人は、忘れた頃にやってくるのだ。

意外にもヘビメタ好き

5月も中旬になると、自宅の庭先にもデイジーやフリージアが咲き、ホームセンターで購入した小鳥の巣箱も、前秋生まれた好奇心旺盛な子リスたちの、格好な遊び場になっている。

心待ちにしていた背の高いご夫人を、一番奥のテーブルに通して、私はロッカーにしまってあったＩＳＡＤＯＲＡのバッグを彼女に渡しながら、今度はフィンランド語で礼を述べ

子リスの戯れ

た。すると、彼女は「フィンランド語は話せません。母国語はスウェーデン語です」と英語で答えた。私がスウェーデン語で礼を言い直すと、彼女は「スウェーデン語が話せるのですか！」と驚きの声を上げた。そして「あの折は、ヘッドフォンで音楽を聞いていたので、失礼しました。私の名はヨハンソン、ストックホルムの高校で歴史を教えています」と答えた。

私は数日前に音楽協会から送られてきた小雑誌の見出しに、「北欧人はヘビメタがお好き！　ヘビメタの聴視率はフィンランドが世界一!!」と書かれていたのを思い出して、「ことによるとヘビメタを聞いていたのですか?」と問うた。「よく分かりましたね」と、彼女はクスッと笑った。

「私はシナトラやジュリー・ロンドンで育ったので、デビュー当時のビートルズですら騒がしいと感じました。今でも、ヘビメタは御免です」

「私も初めは違和感を覚えました。でも一度ハード・ロックに慣れてしまうと……」

「なるほど。ウオッカをロックで飲むようになると、水割りでは物足りないのと同じですね」と言うと、英語の駄洒落が通じたのか、大笑いしてくれた。冷たそうに見えた彼女の整った顔が急に和らいだ。

2　男は臆病で意気地なし

甥っ子が銃で負傷

ヨハンソン女史の妹君はフィンランド人の開業医と結婚し、ポリ郊外に住んでいて、この日は10歳になる甥を見舞った帰りだという。

この義弟の趣味が狩猟で、一昨日、狩りの後に自室でライフル銃の手入れをしていた時、急患が入った。義弟はライフルを机に置いたまま部屋を出た。甥はその部屋に忍び込み、弾を銃に装填して、裏庭で試し打ちをした。発射の反動でライフル銃の台尻が甥の顎の一部と右肩を強打したのだ。

「北欧、特にフィンランドは銃の所有率が高いのです。ですから、甥のような事故が起こってしまいます」

「女性の大半は、銃の所有に反対していると聞いていますが？」

「その通りです。昔から男性は〝周囲の森に棲む熊から家族を守るためだ〟と言って、銃を持ち続けています。でも、熊が家に入り込み、人を襲った話など聞いたことがありません」

「大統領が女性になるほどフィンランドでは女性が強いのに、なぜ銃を規制する法律を作れないのですか？」

「立法府である議会は、数の勝負です。女性は出産や育児などのハンディを負っていて、議員の数では男性に勝てません。銃の放棄を決めるには、どうしても男性からの賛成票が必要です」

「アメリカでは全米ライフル協会が強過ぎて、銃規制が進まないといわれていますね」

「一つの団体がいくら強くても、過半数の国民を説得する力があるとは到底思えません。本当の理由は、心の中にあると思います。禁止されたらバイアスロンの選手が育たないとか、軍隊に入った時銃が下手では困る等々、男性議員はいろいろな屁理屈をつけて、銃規制に反対するのです。こんなに銃の入手が簡単では、北欧でもきっとアメリカのような銃乱射事件が起きますよ」と、ヨハンソン女史は顔を曇らせた。

彼女の予言通り、後年（２００９年）、ヘルシンキ郊外のショッピングセンターで、銃乱射事件が起きて、多くの死傷者が出た。そして２０１２年には世界の一大ニュースとなったノルウェーのウトヤ島での、たった一人の青年による大虐殺事件が起こってしまった。

「とどのつまりは、男性は銃がないと心細いのです。夫は私に〝もし銃の所有を禁止する法律ができたら、善良な市民は銃を所轄に差し出すだろうが、悪人たちは持ち続けるに違いないよ。そうなったら、社会はどうなっちゃうんだい？〟と言うのです」

「善人は全て丸腰。悪人だけが銃を持つ社会を私も想像できませんね」と私は夫君の説に同意してみせた。

「そうですか、あなたも！　銃規制が行われない最大の理由は、今時の男は皆、臆病で意気地なしだからです。理想を追えないどころか、現実をも直視できないのです」と、以前の厳しい顔に戻ってヨハンソン女史は断言した。見透かされてしまった私は、反論する勇気が失せ、頭を深く垂れるしかなかった。

ポリジャズ祭で無理な依頼が

ポリ市最大の年中行事、ポリジャズ祭が近づいた。前年私はイベント会場で10日間、日本料理の模擬店を出した。早朝から真夜中までの激務であった。疲労と寝不足により朦朧としていたので、客たちにどう対応したのか思い出すこともできない。

そこで「今年は、イベント会場での出店を辞退します」と事務局にメールした。すると数日後、ランチタイムが終わろうとする頃、実行委員長代理を名乗る中年の女性が訪ねてきて「2つお願いがあります」と言う。

一つ目の依頼は私の事務所兼自宅を、ポリジャズ祭の期間中、臨時の宿泊所に使わせて欲しいということだった。これは町のためにもなるし、利益も見込まれるので、即座に快諾した。

しかし二つ目の依頼は大問題であった。実行委員長のウルキ・カンガスが「VIPの客をクルーザーに乗せ、ポリ市を河と海側から見せたい。その折、船内で寿司と天ぷらでもてなしたい」と望んでいると言うのだ。例年、VIPには外国の元首や王族も含まれている。

私は「寿司は生ものですから、衛生上の観点から、船上では差し上げられません。天ぷらは185度に保った大量の植物油を使いますから、天候次第では大変危険です。依頼されたのは光栄ですが、応じかねます」と、やんわり断った。

だが実行委員長代理の女性は「ポリで日本食を出せることが、市の誇りなのです。KAISEKIの中から、生ものと油を使わない料理を選んで頂ければ十分です」と食い下がる。

人の口に戸は立てられぬ

私が自信を持てる料理は寿司と揚げ物しかない。懐石などはとんでもない。キッパリと断るしかない。生半可な断り方をすると、実行委員長のウルキ・カンガスが直接頼みにくるかもしれない。彼からは開店祝いとして、店頭に出す大きなテーブルをプレゼントされている。このテーブルは、晩春から早秋までの売り上げに大いに貢献している。彼にノーとは言えない。

何と断ればよいのか困り果てた時、委員長代理は、こう言った。

「ＶＩＰの中には、奥様以外の方を同伴することもままありますので、このクルーズに関しては、店の宣伝に使ったり、他言したりは決してしないで下さい」

しめた、と私は思った。「私は宣伝も他言もしません。しかし、日本には〝人の口に戸は立てられぬ〟という格言があります。私をアシストしてくれるウエイトレスたちは、おしゃべりと携帯が３度の飯より好きな10代の娘たちです。彼女たちに秘密を守れと言うのは、無理な相談です」と言った。

丁度その時、昼食後に長話をしていた中年カップルが、支払いを済ませて店を出ていった。すると、レジを担当していた、この春入店した研修生が私に声をかけてきた。「マスター、気が付きましたか？　あの中年男、また違う女を連れてきたんですよ！」

委員長代理は「……分かりました」と言って、すごすごと帰っていった。

妊婦を見舞う

観光地であるポリでは、８月に人口の満ち引きが２度起こる。初旬には家族連れの観光客が去り、ポリ市民が旅行から戻ってくる。下旬には新学期を迎える学生たちの出入りが起きる。帰還したポリ市民は、去り行く夏を惜しむかのように、友人たちと集い合いホーム・パーティーが盛んに行われる。

私はアイスホッケーのファンドル選手から、バーベキュー・パーティーに誘われた。訪ねると玄関で奥様のエリナが、産み月を迎えた丸々したお腹で迎えてくれた。ご主人のファンドルが「出産予定は、丁度１週間後です」と言いながら、甲斐甲斐しくキッチンとベランダを往復していた。

世に、男性にはできないことが一つだけ存在する。出産である。日本の女性なら、その大事のわずか１週間前に、ホーム・パーティーを開くであろうか？

出産予定日といわれた翌月曜日の朝、私はファンドルに電話をして、エリナの状況を聞いてみた。「エリナは昨夜、ポリ中央病院に入院しました。今日にも生まれるかもしれません。あなたが見舞ってくれたら、さぞ喜ぶでしょう」と彼は言った。

ポリ市内では、美観を損ねる高いビルの建設は条例で禁止されているが、町外れの小高い丘の上に建てられた中央病院は例外だ。緊急時に誰もが迷わずに来られるような高層ビルで、ポリのランドマークとなっている。

丁度休店日なので、私はエリナを見舞うことにした。予定日といえども、自然分娩を選んだ彼女の出産は、いつになるか分からない。日本から送られてきた分厚い小説月刊誌を持って病院に出向いた。

3　フィンランドと日本はこれだけ違う

北欧の女子力に圧倒される

正午丁度に病院に到着して、受付でエリナの病室を聞くと、「30分ほど前に分娩室に移られました。その部屋の前のベンチでお待ち下さい」と言われた。最初の短編小説を読み始めた時、分娩室のドアが開いて、出てきた担当の女医さんが「無事女児が生まれました。母子ともに健康です」と伝えてくれた。それから間もなく分娩室から看護師さんに付き添われて、赤ん坊を抱いたエリナが出てきた。時計を見ると1時15分だった。欧米では出産して間もなく、医師から「歩け歩け」と言われるとは聞いていたが、出産して1時間足らずで、ベッドを離れるなど、予想もしていなかった。もう一つ驚いたことに、看護師さんの後ろに隠れるように長女のヴァレリアが立っていた。フィンランドでは、娘に出産の様子を見せることが性教育の一つと考えられているようだ。

赤ん坊との対面は新生児室のガラス越し、と思っていた私は、彼女から生まれたばかりの赤ん坊を手渡され、緊張すると同時に深く感動した。出産前のエコー検査で女児と分かっていたので、赤ん坊には既にヴァネッサという名前が付けられていた。

力には、体力以外に精神力、忍耐力、持久力など多種の力がある。出産して45分後に、見舞い客へ挨拶する力を何と表現すべきだろうか。「北欧の女子力」以外には思い付かなかった。

別れの秋

「フィンランドの夏はどれほど暑いのですか?」と問うメールがしばしば日本から来る。

それに対して私は、常用しているフィンランド語の教科書に載っている「電話」という章の一節を直訳して、返事としている。

「今年の夏、この村はとても暑いんだ。そっちの町はどうかね？」

「こっちも暑いんだ。摂氏26度もある。まるで地獄だよ！」

これを読んだ多くの人たちから、「その著者を夏の東京に招きたいものだ。いったい何て言うのだろう？」とのメールが返ってくる。

こんな夏も8月に入ると、秋風が吹き始める。

忘れもしない8月末日の朝、出勤してきた上海娘ココから「家庭の事情で、帰国することになりました。もっと早くお伝えすべきでしたが、言い出せなくて……」と、突然の申し出があった。

ココは私の店に来る前に、中華料理店で働いた経験もあり、自分の役割だけではなく、全体への目配りができるセンスも持っていた。私がやろうとしていることも、先回りしてその段取りも組んでくれる。

そのココが突然いなくなってしまうのは、右手右足を同時に失うに等しい。そして、有能な店員とか、可愛い上海娘としてではなく、何ものにも代えがたい心の拠り所だった。

世に「性同一性障害」といわれる人たちがいる。幸いにして日本は、この障害を「粋の道」として是認した、誇るべき歴史を持っている。私の持つ障害は、「齢同一性障害」である。身体は初老だが、心はいまだ学生のままだ。ココは私を日本のお父さんと思っていただろうが、私は彼女を一人の女性として、好きになっていたのかもしれない。そうでなければ、これほどまでに、大きな衝撃を受けはしなかったに違いない。もっとよくしてあげればよかった。

バーテンダーを志望していたガードマンのエミリーが、1年間のパブ研修を終えて私の店を去った後、夜の部のパブをフォローしてくれたのはココだけだった。私は何度も彼女を、アルバイト学生には縁遠い、町で唯一の三ツ星レストランに連れていってあげようとした。一度でよいから一流のレストランで、ココを給仕する側から、給仕される側に座らせてあげたかった。

ココとの別れの日、泣き出したココを思い切りハグしてあげた。一年半前に、この店の開店許可を取るための、最後の障害であった、「マンションの住人全員から同意を取り付ける」を見事に達成した説明会の後、私たちは大喜びでハグした。その頃の彼女の身体には、ふっくらした感触があった。ところが今回は、まるで違っていた。「痩せたんじゃない?」と聞くと、「マスターだって、すごく痩せましたよ!」と言った。ココは「マスターが一日中、ほとんど食事をしないので、私たちもまかない食をいつの間にか食べなくなってしまい、お陰で10キロもダイエットできました」と涙を拭きながら笑顔を見せた。この会話のお陰で、私は泣かずに済んだ。

秋の別れは、家の庭でも始まっていた。美しい翼を広げて庭に舞い降り、庭の住人たちが食べ残したパンの耳をついばんでいたカモメたちが、遠い南の国に去ってしまった。次にリスたちが木の実豊かな裏の森に消えて、そしていつの間にかハリネズミの家族も顔を見せなくなった。その後しばらくして、雉の親子もどこへか旅立っていった。

映画学との出合い

10月も半ばを過ぎると、ポリの町は紅葉から落葉の時期に移り、雨も霙《みぞれ》に変わる。サラリーマンは、昼食は社内食堂で済ませ、仕事が終われば家路を急ぐ。当然、店への客足はめっきり減ってしまう。特に、ココが去って以来、彼女のファンだった若者たちの足が遠のいてしまった。その分、皮肉にもココがいなくても、店の運営に大きな支障は来たさなかった。ココはそのことを知っていて、退社時期を選んでくれたようにさえ思えた。

このままではいけない。北欧では寿司は夏向きの料理と思われている。秋冬を乗り切るための新メニューを早急に考えねばならない。街の中では、熱源として電気しか使えないため、鍋物や焼鳥等は対象外である。試しに私は、小さめのスープ皿に豚汁を入れて無償サービスしてみた。すると、「有償でよいから大椀で豚汁が欲しい」と言う客が多く出た。次に、カツ丼、天丼、親子丼等をお茶碗に小さく盛って出したところ、評判が良かった。しかし問題は、大椀もドンブリも北欧ではなかなか入手できないことだ。そこで、一時帰国して、東京の合羽橋で仕入れることが頭をよぎった。

その頃、三十後半と見える見栄えの良い男性客が足繁く来店していた。彼が突然私に「私の名はペトリ。ポリ職業大学で映画学を教えています。撮影の許可を頂けないでしょうか?」と言う。

彼の意図がよく分からなかったが、反対する別段の理由もなかったので、取りあえず許可することにした。以後毎週一回、ペトリはカメラマンを連れて店に来るようになった。そして、私の一挙手一投足を撮影し始めたのだ。「完成には2年ほどかかるでしょう」と言う。

映画学（シネマ・スタディ）という言葉を聞くのは初めてだったので、最近できた薄っぺらな学問に違いない、と私は思った。映画は好きだったが、あえて彼に論戦を挑んだ。「私は子供の頃から本が好きでした。読んだ本が映画化されると、必ずその映画を見にいきました。ところが、本でイメージしたのとは全く違う世界が映し出されて、いつもがっかりしました。やはり映画は本には勝てませんね」

するとペトリは、「優れた読者は、本を深く深く掘り下げていきます。一方、映画は原作をもとに、脚本家、監督、俳優、大・小道具、カメラマン、コンピュータ技師たちが上へ上へと積み上げていくのです。視聴者のあなたと、映画に携わった方々は、それぞれ違う個性と、違った過去を持っています。ですから、完成した映画とあなたのイメージが違うのは当然です。監督と主演俳優の間ですら、イメージを統一するのに苦労しています」

なるほど。ポーランドの著名な監督の下で実践を積み、大学で週18回も講座を持つ男だけのことはある。私は彼を見直した。

私は店で、いつも作務衣を着、従業員にはハッピを着せていた。この風景が、ペトリに撮影の動機をもたらしたのであろう。

日本に一時帰国する理由が増えた

11月の初旬にテレビで、北朝鮮の金正日が体調を崩した、というニュースが報じられた。隣国のスウェーデンは北朝鮮と国交があるため、確かな情報が迅速に北欧諸国に伝えられるのだ。そのニュースの中で、元気だった頃の金正日が映し出された。彼は自慢げに「私は映画が大好きで、1万巻収集しました」と話していた。私はテレビに向かって「キミが集めたのではないだろう。国家予算を使って、役人に集めさせたのだろう」と思わず言った。

私の家はケーブルテレビだったので、時間さえあれば、豊富な映画番組を視聴できた。ハリウッド映画が多かったが、次いで隣国のスウェーデン映画も多く流されていた。映画界はサイレントの創世記からトーキーの普及期に移行する時、第二次大戦を迎えてしまった。多くの国々が疲弊する中、繁栄を続けられたのはアメリカと中立国のスウェーデンであり、この情勢は映画の歴史に色濃く反映された。ハリウッドが中心となり、監督ではジョン・フォード、ウィリアム・ワイラー、女優ではテーラー、モンロー、ヘップバーン等が活躍したが、スウェーデンも巨匠イングマール・ベルイマン監督を輩出し、女優ではグレタ・ガルボ、イングリッド・バーグマン、アニタ・エクバーグ等が世の男性を魅了した。

そういえば、私の父は大の映画ファンだった。明治に生まれ、大正、昭和、平成と映画を楽しんだ。子供の頃、そんな父に私は「女優さんでは誰がいいの?」と聞いたことがあった。父は、「(マレーネ)ディートリッヒの前にディートリッヒなく、ディートリッヒの後にディートリッヒなし。彼女は右顔で微笑みながら、左目で涙をこぼせる女優だ。だからこそ、ヒットラーにしつこく言い寄られても、肘鉄を喰わせて、米国に逃れることができた」と説明してくれた。子供心にも「立派な女優がいたものだ」と感心させられた。

私は映画を録画して、それを普及し始めたブルーレイ・ディスク（ＢＤ）に落とせば、いつの日か金正日の1万巻を超すことができるだろう、と考えた。早速、電器屋に行ってブルーレイ・プレイヤーとＢＤを購入しようとした。しかし、どちらも予想以上に高かった。ＢＤは1枚、1万円近くした。1枚に2巻のハイヴィジョン映画を収録したら、1万本を収録するには5千万円かかってしまう。諦めようかと思っている私に、電器屋のお兄さんが「ソニーの製品ですから、日本で買えばもっと安く手に入るでしょう」と言った。日本に一時帰国する理由が一つ増えた。そして何よりも、日本に帰れば久々に、防腐剤の入らないおいしい日本酒が、存分飲める。私の五臓六腑は早くも成田に向かって飛び立っていた。

秋天の成田空港で駆けつけ3杯

11月第3週の初めに、真っ暗だったフィンランドから、私の目には眩し過ぎるほどの秋天の成田空港に降り立った。

帰宅するまではとても待てない。空港内のコンビニで、「何はともあれ、駆けつけ3杯」とカップ酒を3本と烏賊《いか》の薫製を買った。成田エクスプレスの中で、国民歌謡『舟歌』の一節を思い出しながら、久々に見る千葉の田園風景を車窓から楽しんだ。それにしても、日本は便利な国だ。コンビニで酒が買える。北欧のスーパーやコンビニではアルコール分5％以下のビールしか買えない。

自宅に戻るのは、4年8カ月ぶりだ。太平洋戦争と同じ長きに亘ってフィンランドにいたのだ。この年月は、私にとっても戦争にも似た苦難の連続であったから、それをもって、家族をほったらかした罪滅ぼしとしよう等と勝手なことを考えながら、玄関の扉を開いた。激怒されるか、涙して喜ばれるか？

さにあらず、青春まっただ中の二人の娘からは「あらまあ、珍しい。それにしても痩せたわね」。家内からは、「どうしたの、そんなに痩せちゃって」と痩せたことへの感想だけが返ってきた。

時差ぼけの到着2日目には、頼まれたことからやってしまおうと、蒲田に向かった。ポリで行きつけの床屋さんから頼まれた、ハサミを買いにいったのだ。どこのものより、日本のハサミがよいという。美容用品のカタログを見せてもらったが、ハサミの頁では、スウェーデン鋼を使用した一流品、ドイツのヘンケルやフィンランドのフィスカースより数倍高い値段が付けられていた。そのリストに、販売店の蒲田の住所が載っていたので、品川から京急に乗り込んだ。運良く座れたソファーの心地の良さに感激した。北欧人は子供の頃から、教会の硬い椅子に慣れているからだろうか、バスや電車のソファーはクッションが硬いのだ。

合羽橋で大椀とドンブリを仕入れる

日本滞在３日目の午前中は、アポを取っていた武蔵小金井にある農工大を訪ね、手紬の勉強をした。手紬は羊やアンゴラ兎など、毛足の長い動物から刈り取った毛を指で練り、糸状にして糸車に巻き付ける作業で、内外を問わず古くから、女性の仕事や趣味として人気が高かった。

午後には３軒のペット・ショップに行って、犬の毛と羊毛を混紡して作る、ニュービジネス案を披露した。結果は「温暖な日本での需要期はクリスマスとヴァレンタインだけに限られて、ビジネスにはならない」と断わられてしまった。

4日目は合羽橋に行って、大椀とドンブリを仕入れた。店側がそれらを航空便でフィンランドに送ることを承諾してくれて、ホッとした。その足で浅草橋に行き、ブルーレイ・レコーダーとBDを、フィンランドでの半値で買うことができた。お陰で、往復の旅費が浮いたと喜んだ。

たった4泊の日本滞在だったが、料理をせずに済んだ貴重な日々であった。女房が上げ膳据え膳の温泉旅行を好む訳がよく分かった。

4　慈悲深い女神様が最後に与えてくれたものは

ショックを受けた常連客の死

2月も下旬になると、雪を降らす黒雲は消え、白雲の間から青空が見え始める。福寿草や二輪草が雪を割るように咲き出て、楓や白樺の小枝から新芽が顔を出す。

そんなある日、数人の喪服を来た中高年のご婦人たちが、店頭に敷いたマットで靴底の汚れを落としながらやってきた。店の上階に住むアニタ・ハドソンさんが創設した小説愛好会のメンバーたちだった。そのうちの一人が「アニタの葬式の帰りです。埋葬は

10日後に行われます」と言った。アニタは1カ月ほど前まで、店のカウンター席でよく飲食をしてくれていた開店以来の常連客だけに、彼女の死に私は少なからぬショックを受けた。

私の店が開店した当時、夫で見栄えの良いハンス・ハドソン氏を連れて頻繁に来店してくれた。夫のハンスは英国生まれでフィンランド語が全く話せなかった。アニタは、タンペレ大学の英文科を卒業した。そこで２人はいつも英語で会話をしていた。２人はポリ中央病院の循環器科の待合室で知り合ったという。２人とも心臓に重い疾患を抱えていたのだ。病院の待合室で、アニタが英国の女流作家ヴァージニア・ウルフの本を読んでいた時に、ハンスから「難しい本を読んでいるのですね」と声をかけられて以来の仲だった。

ヴァージニア・ウルフは英国の人気女流作家だが、文章は極めて難解で、外国人にはなかなか読みこなせなかった。そこで、日本をはじめ多くの国で、彼女の本を理解するための読書会が作られた。日本にもヴァージニア・ウルフ協会がある。作家自身が強度の双極性障害（統合失調症?）を患っていて、凡人とは違う心の旅路をたどった人だった。

私の店が開業してしばらくは、２人で店に来てくれていたが、その後はアニタが夜遅く一人でやってきて、カウンターで日本酒を所望するようになった。ある夜私は彼女に「ご主人はどうしているのですか?」と聞いてみた。すると彼女は「……私の失敗はハンスを女性ばかりの読書会に入会させたことです。初めのうちは、彼女たちはハンスに英文の解読を助けてもらっていたのですが、親しくなると買い物や、部屋の模様替えの手伝いまで頼むようになったのです。ハンスは〝ノー〟と言えない優しい人でした。何人かの女性会員は食事や映画にもハンスを誘い出すようになったのです。その中には熟年の独身女性もいるのです。今日もどこへ行っているやら!」とため息まじりに話してくれた。

あと2年間は絶対に生き抜いてみせる

世界最強のフィンランド女性の中にも自己主張を抑えて、お酒で紛らわすご婦人がいることを知って、私はほっとした。ところが、それから間もなく、ハンスは心臓発作で急逝した。アニタは夫の老い先が短いことを予知していて、嫉妬しながらも夫に自由に行動させていたのだった。夫の葬儀を終えて間もなく、アニタは私の店のカウンター席で日本酒を飲みながら、「私も心臓が悪いのですが、あと2年間は絶対に生き抜いてみせます」と言った。

それから2年間ほどは、彼女の来店の回数や酒量は減ったものの、私たちは有名な作品の感想を交換できる、良き友人同士だった。

私はアニタの埋葬式に出席するため、町外れにあるルター協会の墓地を訪ねた。フィンランドでは８割の人がキリスト教ルター派に所属し、カソリックやオーソドックス（正教）教徒は少数である。ルター派教徒の多くは収入の２％を教会に納めている。その一部は墓地の管理に充当され、手入れの行き届いた墓石が整然と並んでいる。

私が墓地に到着した時は既に、深く掘られた墓穴の中に2年前に死んだ夫のハンスの棺《ひつぎ》が横たわっていた。アニタを埋葬する前に、参列者は棺の小窓から彼女に別れの言葉をかけた。

おどろいたことに、彼女の棺は、ハンスの棺桶の真上に埋葬されたのだ。火葬の場合、骨壺が何層にも重ねられることは普通だが、土葬の場合でも多重が可能であることを初めて私は知った。ただし、それには条件があった。防疫上の観点で、埋葬されて2年間は、墓の掘り起こしが禁止されていたのだ。彼女が私に「あと2年は死ねない」と言った謎が解けた。

棺の小窓越しに見える、微笑みを浮かべたアニタの死に顔には「ついに私はハンスを永遠に独り占めできる」と書いてあった。

「成田離婚」「定年退職離婚」はない

4月は待ちに待った春が訪れる季節だが、南からの暖気と北極からの寒気がぶつかり、天気が急変する時期でもある。時に自動車のボンネットに傷を付けるほどの雹《ひょう》や霰《あられ》が降ることもある。

その春の嵐の中、大きな旅行鞄を持った日本人の若いカップルが、ずぶ濡れになって私の店に駆け込んできた。私が「ひどい目に遭いましたね」と話しかけると、カウンター席に座らないうちに男性が、「あなた日本人なんだ！　マグロの大トロ、サーモン、イクラとホタテを握って」と立て続けに注文してきた。女性の方が「急に元気が出てきたのね！さっきまで、あんなにオロオロしていたのに」と言った。

私は日本に一時帰国した時、テレビや新聞で知った「成田離婚」という言葉を思い出した。海外旅行が初めての新郎に対して、学生時代から海外旅行慣れしていた新婦が、日本では頼もしかった彼の本性を見て、幻滅してしまうのだ。

その年の暮れ、オーロラを見に彼女は女友達を連れて、私の店に立ち寄った。「私を覚えていますか?」との彼女の問いに、「もちろんですよ。彼と一緒ではないんですか?」と答えた。すると「あの旅行の後、私たちはすぐに別れてしまいました。相性がまるで合わないことを、あの旅行ではっきりと知りました。どうせ別れるなら早いうちに……」と明け透けに話してくれた。

一方北欧では、小学校から性教育を受け、多くの男女が14歳頃、異性との初体験を持つ。その後、多くの男女がボーイフレンド・ガールフレンドの関係を結ぶ。中には親元から離れて同棲するカップルもいる。いわゆる「事実婚」を若くして経験するのだ。この期間に相手の長所・短所、そして相性の良し悪しを知ったうえで、結婚の可否を決める。よって成田離婚は起こらない。

湖上にオーロラ

日本から届けられる新聞や雑誌に、「定年退職離婚」という言葉が載っている。ご主人が年金生活に入ったとたん、妻の方が三行半を夫に突きつけるのだ。どうやら日本男性は、結婚し、種付けが終わると、給料の運び屋になり、退職すると粗大ゴミになってしまうのだ。

一方フィンランドでは結婚後、夫婦で家事を分担するので、定年になってからも夫のやることは残り、退職後すぐに離婚とはならない。現役時代の手取りとさして変わらぬ額の年金を得て、海外旅行しながら老後を楽しむ夫婦が多い。にもかかわらず、北欧の離婚率は日本より遥かに高い。この相矛盾する現象の訳を、レストラン・パブの経営をしてから、私は二つほど見つけた。

北欧の離婚率が日本より高い訳

お見合いや、合コンのない北欧では、女性は結婚相手を自力で探さねばならない。「恋すれば結婚できる」ように、世の中は都合良くはできていない。結婚にこぎ着けるには、大量のエネルギーを消費する。もともと狩猟民である北欧人の主婦は、夫が生け捕りにしてきた獲物を頑丈な檻に入れて、逃亡を防いだ。現代でも同様にして、首尾良く結婚できると、目に見えない頑丈なバリアーを張り巡らして、夫に自由行動はさせない。

例えば、店の取引銀行の支店長は、仕事帰りに私の店で日本酒を飲んで、一日の疲れを癒す。少しでも彼が長居をすると、必ず彼の携帯に奥様から電話が入る。その都度私は、彼から渡された電話で、「カウンターで、一人で飲んでいますよ」と証明してあげなければならない。こんな生活に耐えられなくなり、身ぐるみはがされる覚悟で離婚を選ぶ男性も当然出てくる。

もう一つ私が見つけた離婚の訳は、男女間の美意識の崩壊にある。思うに、人類が誕生して以来、「か弱き女性を、たくましい男性が守る」が、脳内に育まれた美学である。男女平等を勝ち取って、バリバリと働き、高い役職と賃金を得る女性に対し、「守ってやろう」と思う男性の美意識は自然消滅する。守ってもらう必要のなくなった女性は、いつでも離婚できる状況にある。ましてや夫が浮気をするとなれば、即離婚に向かってしまう。

晩年に認知症を患い、徘徊するのは日本でも北欧でも、男性が多い。きっと、慈悲深い女神様が現世の最後に、自由気ままに行動する時間を男性にお与え下さったからに違いない。

5　体力の限界を感じ日本に帰国

「ポリに死す」も悪くない？

北欧の遅い春を迎えようとする4月の中旬、これまでとは違う激しい心臓の痛みを感じた。明らかに脈も乱れていた。ココが上海に帰ってしまった後の半年余り、アルバイト学生の補充はしたものの、片手を失ったも同然の私には、昼はレストランをやり夜はパブをやるというのは不可能であることに気付き始めていた。

週に一度の休みである月曜日も、消耗品の買い付けでヘルシンキに行ったり、調味料や酒類の補充、帳簿の整理など休日どころではなかった。

睡眠不足は常習化し、飲酒量も減らすことができなかった。体調が悪いと感じた時、芹沢光治良（1896〜1993）が1942年に書いた『巴里《パリ》に死す』を思い出し、「ポリに死す」も悪くはないな、などと平気で考えるようになっていた。人間はどこまで死なずに働けるのかなあ？　半年前に一時帰国したのは、家族への別れを告げに行ったのだ、と納得もしていた。今になって考えてみると、その時の私はポリという町にスッポリと飲み込まれてしまい、平常心を完全に失っていたのだ。

ポリの春は、カモメとともにやってくる。ポリは港町であるが、氷河の後退により、その重さから解放された地盤は、今でもゆっくりと隆起を続けている。結果、コケマキ河がボスニア海に流れ込む河口は、400年ほど以前に形造られた現市街から西北に約8キロメートルほど、遠ざかってしまった。河口付近にできた干潟には、たくさんの魚貝、ゴカイやイソメ等の海洋生物が繁殖し、渡り鳥たちの格好の餌場となっている。しかし、どういう訳かカモメは、ポリの中央広場までやってきて、ベンチに座る老人や旅人の目を楽しませてくれる。

フランスの有名なシャンソン『カモメ』では、カモメは海で死んだ船乗りの魂だと唄われている。だから、カモメは人恋しさに街場までやってくる、といわれている。

痩せ過ぎで、弟から帰国命令

サウナ風呂の横に置いてある体重計に久々に乗ってみると、54・0キロと表示されていた。常連客の内科医から、「痩せ過ぎではないのか。一度、大学病院に行って精密検査を受けた方がよい」と言われていた。原因は分かっている。栄養失調、睡眠不足、飲酒過多……原因は山ほどあった。しかし、痩せることを良いことと潜在的に思っていた私は、病院に行く気にはなれなかった。

ところが、次の休日の早朝、ベッドが横揺れしているのを感じた。地震がないはずのフィンランドでどうしたことかと思ったが、すぐに自分の心臓が横方向に激しく鼓動していると気が付いた。「過労死」という言葉が一瞬頭をよぎった。

数日前、サウナにトゥミネン教授と入った時、「まるでアウシュビッツの囚人だな」と言われてしまった。トゥミネン教授は私の痩せ方が度を越していることに驚き、日本にいる女房に電話で連絡していた。それを聞いた女房は、自分が何を言っても無駄なことを知っているので、アメリカに住んでいる私の実弟に連絡した。弟は１９６４年にアメリカに渡り、建築家として成功を収め、63歳まで独身生活を謳歌して、２回りも若い嫁をもらった、アメリカン・ドリームの達成者である。

昼のお客が一段落した時、私の携帯が鳴った。弟からだった。ポリの飛行場に到着したという。飛行場はポリの駅裏に隣接しているので、駅前で会うことにした。私は降り出した季節遅れの雪の中、自転車で駅に向かった。数年ぶりに会うというのに、痩せこけた身体に作務衣だけを羽織って、震えながら自転車で駅前にこぎ着けた。その哀れな姿を駅構内の窓越しに見ていた弟は、会うやいなや、「すぐに日本に帰りなさい」と命令するような強い口調で私に言った。

バブル経済が破綻した時、少なからず私に協力してくれた弟には、悔しくはあるが頭が上がらない。私は弟に、日本への帰国を約束してしまった。

さようなら　ポリ

まず私がやるべきことは、映画監督のペトリに帰国を伝えることだった。私の身体の異常に気が付いていた彼は、「私のことは気にかけるな。映画は短編にするから」と言ってくれた。

次にやるべきことは、レストラン・パブの売却だ。かねがね私の健康異常に気が付いていた独楽鼠のチャイが「トゥルクの町で中華レストランを経営している中国人女性がポリに進出しようとしています。その方に声をかけましょう」と、あたかも私の廃業は、時間の問題だと知っていたような口調で話してくれた。

数日後、その中国人女性が私の店にやってきた。店も厨房も気に入ってくれて、「調度品も消耗品も全てこのままの状態で買い取らせて下さい」と言ってくれた。ただ私の帰国の日を知っていた彼女は、金銭の授受の日が迫った時に、足元を見透かすかのように、大幅な値引きを迫ってきた。他に売り先を見つける時間もなかった私は、彼女の要求を飲まざるをえなかった。

せっかく、大金をかけて設備した大型空調器は一度も使われなかった。夜のパブに来る酔客たちでさえ、雪の日でも店内ではタバコを吸うことはなかった。「タバコは外で」が、フィンランド人の常識になっていたのだ。

待ち時間に見てもらおうと設置した大型の水槽や、餌を与える私にすっかりなついた熱帯魚たちも残していかなければならない。

私がパブの客たちから勧められるまま、ウオッカを飲んでしまうことを知っている外国人クラブの面々は、代わる代わる私を家まで送り届けてくれた。

お客たちの中には、食べ終わったお皿をキッチンまで運んでくれる人もいた。

「大きなサーモンが釣れたから、使ってくれ」と言う釣り人も多くいた。

寒い真冬でも、月に一度は必ずお寿司を食べに来てくれた家族もいた。

そんなポリの人たちと別れてしまうのは、本当につらかった。

レストランの裏庭で、私のあげるパンの耳を食べていたスズメたちも、5月になれば私の庭に戻ってくるリスや雉の親子はどうなるのだろうか?。

4月末のよく晴れた日、後ろ髪を引かれながら、私は第二の故郷ポリを去ることになった。私の乗った飛行機はポリ飛行場からヘルシンキ国際空港に向かって飛び立った。多くの友人たちが手を振りながら見送ってくれ、映画監督ペトリとカメラマンが、飛び去る私の乗った飛行機を撮影してくれているのが、飛行機の小窓を通して、涙の隙間から見えた。

日本に帰国して

くやしい……くやしい……、帰国してしばらくは悔しさとの戦いであった。「商売の成否はもの、金、ひとの3つで決まる」と常々考えてきた。ものについては、店舗の立地も良かったし、寿司ブームにも乗れた。酒類取り扱い免許も取れてレストランとパブの兼業ができた。資金繰りは楽ではなかったが、店の採算は何とか取れていた。人にも恵まれた。ココやチャイは給料以上の働きをしてくれたし、市営料理学校から無給の実習生を派遣してもらった。皆、良い娘たちであった。良いお客にも恵まれた。しかし、店を運営する私自身が、体調管理に失敗して、閉店を余儀なくされてしまった。失敗の唯一の原因が自分であったことが、悔やまれてならない。

現代人は週休二日が当たり前になっている。その計算からすれば3年間休みなしに働いた自分は、３１３日の連休をとっても罰は当たらないはず、などと勝手な理由を見つけ出して、半月ほど家でぐったりとしていた。気力は萎《な》えてしまっていたが、食べては寝ての生活を繰り返していると、体重だけは毎日確実に増えていった。

こういう状況を変えたのは、またしてもトゥミネン教授からの「来週、韓国の金教授と東京に行く。是非、会って欲しい。金教授は堀場さんの友人なんだ」という電話だった。堀場さんとは、次世代半導体を研究する若者たちに与えられる「堀場雅夫賞」の創設者で、電子工学を勉強する若人の憧れの的であった。

トゥミネン教授は、「私と金教授はスマホの基板開発が一段落した後、バイオテクノロジー業界に移り、現在はＰＲＰ療法の普及に夢中になっているんだ。あなたも参加しないか？」と私を誘った。パソコンの検索サイトにＰＲＰ療法の５文字を入力すると、「関西医大の楠本教授が世界に例を見ないＰＲＰ療法研究会を発足させた」という記事が冒頭に現れた。「世界に例を見ない」という言葉に私の血が騒いだ。

ＰＲＰ療法とは

ＰＲＰとは、「多血小板血漿」という難しい日本語に訳されている。血液を遠心分離機にかけると鉄分を含む重い赤血球と軽い白血球に分かれるがその中間にできる薄い層にＰＲＰが存在している。ＰＲＰを分かりやすくいうと次のようになる。人が切り傷を負って出血すると、時間の経過とともに傷口は赤色の線状に硬化して、やがてはカサブタになって、自然治癒していく。これは、血液中のＰＲＰが傷口の周辺に集まって、サイトカイン（活性化物質）を放出して、傷を修復するということであり、人が生まれつき持っている防衛能力なのだ。

この人間が生まれながらに所有する治癒力を、迅速かつ効果的にするのがＰＲＰ療法である。ＰＲＰは本人の血液から抽出したものであるから、術後の副作用がない。これを読んで私は、ＰＲＰ療法は医療費の増大により逼迫する国家財政の回復に寄与する、と思った。

この治療法は、理論的にはかなり古くからフィンランドのトゥルク大学の教授により提唱されていたそうだが、ＰＲＰを血液から効率良く抽出する方法が確立されていなかった。小型の遠心分離機や、患者の体内に戻す使い勝手の良い注射筒がなかったからだ。

その後、遠心分離機は小型化され、採血する方法も開発されたが、高額過ぎて美容整形以外の目的には普及されなかった。

その中で、トゥミネン教授と金教授が共同で、患者から採血し、ＰＲＰを抽出して、本人の体内に戻す一連の作業を1本の注射器で行える、ＰＲＰ専用の使い捨て注射筒を開発したのだ。

金教授はビジネスマンとしての才能もあり、かつて、大学から使用されていない教室を借り受け、日本から中古の半導体製造機を輸入して、彼が考案した携帯電話用の半導体スイッチの製造を行っていた。学生たちを実習生として工程管理を行わせていたので、製品には価格競争力があり、米国の携帯電話メーカーに輸出して財を成していた。その後、金教授はこの半導体工場を韓国の大手半導体メーカーに売却した。その資金で日本から最新鋭の3Dプリンタやプラスティック成型機を輸入して、PRP注射筒の製造工場を造った。そして私に日本での輸入販売を託してきたのだ。

広範囲に及ぶ外科医療の勉強は大変

私は外科医療の勉強をし始めた。外科医師は、頭のてっぺんから足のつま先まで、身体の表面から奥深くまで、熟知しなければならない。しかも、医学用語には元来、日本語においても英語においても、患者には分かりづらい言葉が意図的に使われていた。例えば、床ずれを褥瘡《じょくそう》と呼び、がんを悪性腫瘍と呼ぶ。英文の医学書を読みこなすには、普通の辞書では役に立たず、高価な医学用語専門の電子辞書も購入しなければならなかった。しかし、歳をとると記憶能力は低下し、覚えたはずの単語を何度も検索せねばならなかった。

PRPの概要を理解した後、私は大阪に行き関西医大の楠本教授を訪ねた。私の持参した注射筒のサンプルに興味を示してもらい、すぐに親しくなることもできた。その翌週にはフィンランドからトゥミネン教授、韓国から金教授が来日して、楠本教授を含め4人の話し合いとなった。話は弾み、ＰＲＰ医療の普及と注射筒の販売のための株式会社を日本に設立することが決まった。資本金の半分を金教授が出資して、残り半分を私が国内で調達することになった。代表者も当然のごとく、私に押し付けられてしまった。

最初の仕事は、その年の暮れに行われる第2回ＰＲＰ療法研究会に、海外からＰＲＰ療法を既に実践している医者を招聘することだった。

招請する医師の人選を任された私は、一般人からもＰＲＰ療法に興味を持たれるように、ＰＲＰにより増毛を促す研究をしているイタリアの医師を招くことにした。大阪で行われた講演会には厚生省からの参席もあり、日本全国から多くの外科医が参集してくれた。翌5年間は海外から「神の手」と呼ばれる著名な外科医師を招くことができた。

しかし、ＰＲＰ学会には他の医療学会とは違い、大きな困難が存在していた。ＰＲＰ療法が医薬品を使わないことから、製薬メーカーからの協力を一切受けられないことだった。私に言わせれば、世界一の貧乏学会である。それだけに、ありがちな政界との癒着はなく、まさに「清く貧しく美しい」学会である（現在、楠本教授は関西医大の名誉教授となり、大阪市内にクリニックを経営しながら、会長としてＰＲＰ療法研究会を14年間牽引し続けている）。

再生医療法の範疇

ＰＲＰ療法は患者本人から抽出したものであるから、副作用を伴わず、かつ治療に高度な技術を伴わない。しかし、血小板は核を持たなくとも、細胞の一種であるとされていることから、厚労省から再生医療法（またの名を細胞法）の範疇に置かれ、ＰＲＰに関する認可の取得は非常に難しいものとなっていた。

それでもＰＲＰ療法研究会の地味な努力が認められ、発足10年目にして、皮膚の難治性潰瘍（褥瘡など）に対する健康保険が適用されることになり、関係者の面目は立った。一方、私たちの商材である注射筒には、同医療分野での使用認可が下りておらず、市場は自費治療の美容整形外科に限られている。

子宮頸がんの検査キットも

金教授とトゥミネン教授はＰＲＰ注射筒を開発した後、子宮頸がんの検査キットの開発にも乗り出した。女性の血液の遺伝子解析によって、子宮頸がんになる可能性を推断するもので、検査の結果に従ってワクチンを接種すれば子宮頸がんを予防できるというものだ。

日本での輸入責任者は有無を言わせず私に押し付けられた。

しかし、子宮頸がんはＰＲＰ医療との接点がなかったので、その勉強のためには産婦人科医が構成する専門学会「日本婦人科腫瘍学会」に入会する必要があった。産婦人科医でない私に入会は不可能と思えたが、意外にもこの学会は、遺伝子解析という電子工学の知識を求めていたために、私の入会は素早く認められた。ＰＲＰの勉強に加えて、今度は子宮頸がんの勉強が始まった。子宮頸がんは人命に関わる深刻な病気で、かつ発生率が非常に高い悪性腫瘍である。早期に発見すれば摘出手術は比較的容易だが、産婦人科医による目視では見逃すこともあり、それだけに遺伝子検査は有効である。

２０１１年3月11日に起きた東日本大震災の後、景気の落ち込みによりテレビ・コマーシャルが減った。この時、公共広告機構が子宮頸がんのワクチン接種を奨励するコマーシャルを頻繁に放映したため、接種率は大幅に上昇した。ところが、しばらくしてワクチンの副作用が喧伝されて、厚労省もワクチン接種に対して消極的になってしまった（２０２３年になって、ワクチンの有効性が、副作用のリスクより遥かに高いことが判明し、再びワクチン接種の重要性が見直されている）。

そんなこんなで、ポリの思い出に浸る時間がなくなってしまっていた。

ありがたい北欧の年金制度

私が年金をもらえる年齢に達してから、スウェーデンとフィンランドから年金が振り込まれるようになった。日本だけではなく、多くの先進国でも、短期間の納税に対する年金の支払いはない。しかし、北欧の年金制度は老人にとって、非常にありがたいものであった。例えば、フィンランド人のトゥミネン教授は学生の頃、隣国のスウェーデンで3カ月間アルバイトをしたことがあった。その時に源泉徴収された納税金額に対して、50年後の現在も、わずかながら月々年金をもらい続けているそうだ。

年金以外にも嬉しいことが先日あった。ポリの地方紙、ポリ新聞社から電話がかかってきた。「ポリ市民にアンケートを取ったところ、〝懐かしい人〟の1番にあなたが選ばれた」というニュースであった。映画監督のペトリが製作した映画「素顔の寿司職人」が国営テレビで何度か放映され、そのDVDも頒布されたことで、ポリの人は私のことを忘れないでいてくれていたのだ。

第4章

心房細動への挑戦

1　交通事故で寝たきり生活に

母の一周忌に交通事故に遭遇

事故に遭ったその日､私は自宅近くの街道をいつものように自転車で横切ろうとした。信号機のある横断歩道が遠くにしかなかったからだ。道路の向かい側にあるカソリック教会で、前年の同日に死んだ母の一周忌が行われようとしていたのである。出がけに国際電話が入り､施主である私が遅刻しそうになっていた。見通しの良い直線道路なので、手を挙げれば自動車が止まり、横断させてくれると思っていたのだ。

不運にも、走ってきた軽トラックの運転手は、視野が狭くなっていた高齢者で、手を挙げた私を全く見ていなかったのだ。私は自転車とともに、左前方3メートルほどの歩道に叩きつけられてしまった。

私をはねた運転手は車から降りて、私の前で呆然と立ち尽くしていた。その車の後ろにできた車列から、数人が降車して私を取り巻き、携帯電話でしきりに救急車を呼んでいた。

私は胸、ヒジ、ヒザに多少の痛みを感じたが、頭の中にあるのは教会で私を待っている司祭のことだけだった。どうにか起き上がることができたので、折れ曲がった自転車を放置して、教会に駆けつけた。当然ながら、事故現場に救急車とパトカーが駆けつけて、自転車を放置して逃亡した私を捜索していた。

一周忌を無事に終えて帰宅し、黒のスーツを脱いでみると、下着は血だらけで、身体じゅうアザだらけだった。自転車の登録番号から私の住所が割り出され、私は軽自動車の前部に傷を付けた事故の加害者として、帰宅したこの日の夕方に、警察官の事情聴取を受けた。

後日、私の方が軽自動車の修理費を弁償することで和解が成立した。友人たちから「跳ね飛ばされた自転車側が、自動車側に弁償金を払うなど聞いたことがない。逃げたお前が大馬鹿だ」と言われてしまった。私は、頭を打たずに生きていることを幸運と思い、弁償金の支払いも、友人の非難も甘受することにした。

事故の翌朝、胸部を中心に身体中に広がった痛みは、生きていたことを後悔するほど激しいものだった。事故直後には自力で教会にまで行けた私が、翌朝にはタクシーさえ使えず、救急車で病院に運ばれることになった。思うに、事故直後は、脳内で放出された大量のドーパミンが、痛みを和らげてくれていたようだ。

最近のテレビニュースで、「ウクライナで取材中のデンマークのジャーナリストがロシア兵に撃たれ、銃弾は肩を貫通した。彼が痛みを覚えたのは、腕が動きにくいことに気付いた後のことだった」と報道された。

五臓六腑に染み渡る茶碗酒

入院して3日目、どうにか右手だけが動かせるようになった。そこで、我儘を言って自宅療養に切り替えてもらった。病院では酒が飲めないからだ。家内には「強度の鎮痛剤には、モルヒネが入っているかもしれない。すぐに退院した方がよい」とデタラメを言って納得させた。車椅子に乗り、首にはコルセットを付けての情けない帰宅だった。

家内が病院前の薬局から、鎮痛剤と大量の貼り薬が入った大きな紙袋を持ち帰ってきた。同封された能書きを読む前に、家内に二合徳利でぬるめの燗を頼んだ。枕から首を少しだけ上げて、茶碗で飲んだ3日ぶりの日本酒は、五臓六腑に染み渡り、おいしさに涙が流れた。「酒なくて　何のおのれが　桜かな」「酒は百薬の長」……酒賛歌が次々に思い出された。

鎮痛薬をしばらく飲み続けると、その効果は実感できなくなった。貼り薬はスッキリ感が心地良いが、翌日には痒みが出てしまう。市販の痒み止めクリームを塗っても、たいした効き目はなかった。痛み止めと痒み止めを交互に塗るのは滑稽だ。とどのつまり「痛み止めには酒が一番」となってしまった。

こんなみじめな姿は人には見せたくはない。幸いコロナの時期だけに、見舞客には遠慮してもらった。右手は動いても、本は読めない。頁をめくれないからだ。首が回らないのでテレビは見られないし、ラジオの選局もままならなかった。結局は酒を飲み、いつの間にか寝てしまう、そんな毎日が続いてしまった。

過ぎたるはなお　及ばざるがごとし

「過ぎたるはなお　及ばざるがごとし」私がこの孔子の言葉を思い出すのは、いつもやり過ぎた後のことだ。

交通事故から1カ月がたち、傷の痛みが大分治まり、ベッドの上なら多少は動けるようになった。そこで始めたのが柔軟体操だった。病床で読んだ本に、筋肉は筋膜により束ねられていて、身体をスムーズに動かすためには、整体師による「筋膜ハガシ」か入念な柔軟体操により、筋膜の萎縮を解きほぐすことが必要だ、と書かれていたからだ。

私は両足を交差させたり、下半身を左右へ、上半身をその逆にひねる運動を毎日続けた。身体は正直で、日々腰の回転角度が大きくなっていった。まだまだやれるのだ、などと喜んでいた時、腰に激痛が走った。ギックリ腰を起こしたのだ。

交通事故で寝込んだ時は、不運を悔やんだが、柔軟体操のやり過ぎでは、憎む相手は自分しかいない。

寝たきりの生活がまた始まってしまった。上半身は何とか動かせるものの、腰の痛みがひどく、歩くどころではなかった。ギックリ腰は北欧でも「悪魔のムチ打ち」と呼ばれ、人間が直立歩行を始めた戒《いまし》めの一つである、と言う人もいる。私の場合、寝ながらギックリ腰を起こしたのだから情けない限りだ。

側臥位でテレビを見る時間が多くなった。しかし、お笑い芸人が楽しそうに音頭をとるバラエティー番組を見ていると、自分がみじめに思えてくる。おのずと私のテレビは、ニュース専門チャンネルに固定されてしまった。

しかし同じニュースが何度も繰り返されるので、結局は、飲んでは寝ての生活に戻ってしまった。

2　心房細動に取り憑かれる

心房細動が発覚

ギックリ腰を起こしてから半月ほどたった早朝、心臓が空回りするような嫌な気分がして目を覚ました。これはまずいと思い、家内の助けを借りて、介護タクシーで病院に行き、心電図とレントゲンの検査を受けた。その結果、循環器科の医師により「心房細動」と診断された。心電図からは正常時に見られるＰ波が消え、心臓の大きさは正常時より12％ほど肥大していた。

思い当たるふしは多々ある。バブル経済が破綻した後の3年間に、何度か心臓の痛みを覚えたこと、フィンランドでは過労とウオッカの飲み過ぎが重なって体調を崩し、病院に行ったことがあった。その時、内科医より不整脈と診断された。欧米では太り過ぎの人が多く、心臓疾患は死因の第一位になっている。肥満が心臓への大きな負担となっているからだ。私の担当医が「脈が乱れていますね。少し休養をとって下さい」と、こともなげに言うのを聞いて、安心してしまった。まさか、この時の不整脈が、脳梗塞の元凶になりかねない心房細動によるものとは思ってもいなかった。以来心房細動は慢性化して、心臓は少しずつ肥大化していったのだ。

病院で「心房細動」と診断されたこの日は、3種類の薬が処方された。一つ目は、血管を広げて血流を良くして、心臓の負担を軽くする薬。二つ目は心理的な緊張を和らげる一種の精神安定剤。そして三つ目は血液を固まりにくくする抗凝固薬であった。

これら三種の薬は、心房細動自体を治療する薬ではないことに私は気が付いた。文句をつけようと思ったが、医師から、「再入院しろ」とも「酒をやめなさい」とも言われなかったので、「まあいいか」と思うことにした。もっとも、私の一日の飲酒量を担当医に告白してはいなかった。

帰路、介護タクシーの中で、心房細動の原因は「酒の飲み過ぎであろうか？」と考えたが、「後期高齢者が、好きな酒を断ってまで、長生きする必要があろうか？」と思い直してしまった。

怖いのは脳梗塞を引き起こすこと

帰宅後、ネットで心房細動について調べてみると、多くの論文に「心臓の外部で発生した異常な電気信号が、右心房に位置する洞結節に集まり、心房内を巡る電気信号を乱し、心房を細かく、時に激しく震えさせる」と書かれていた。

分かりやすくいえば、「心臓自体に問題はないが、その周囲から入り込む電気信号により、心房が震えてしまう」ということだ。

心電図を見たことがある方はお分かりと思うが、背の高い鼓動波と鼓動波の間に、細かい波形が連なっている。心房細動になると、この細かい波形がイビツになったり、より細かくなったりするのだ。その結果、鼓動波の間隔が短く、あるいは長くなったりする。この脈の乱れを不整脈と呼んでいる。また、正常であれば鼓動波の間にＰ波と呼ばれる小高い波形が生じるのだが、心房細動になるとこのＰ派が消えてしまう。

激しい心房細動が長時間続くと、血液はスムーズに心室に送られなくなり、血液の一部が凝固してしまう。その血の塊から生じた破片（血栓と呼ばれる）が血管を流れて脳に達してしまうと、脳の血管で目詰まりを起こしてしまう。これが「脳梗塞」だ。脳梗塞により死亡する人もいれば、半身不随になる人も多くいる。軽傷でも手足の先にしびれが残る場合が多い。

私はさらにスマホで海外における心房細動の最新情報を調べてみたが、国内における情報と同様、心房細動の症状と「血栓ができないように、抗凝血剤を飲みなさい」とのアドバイスが述べられていた。しかし、異常信号の原因や、心房細動の治し方については触れられていなかった。

心房細動を治す手立てがない

心房細動を治す手立てがないことを知ったその時から、私の楽観的な思いは消えた。同時に、心房細動を起こす原因である心臓外から侵入する異常な電気信号の正体がいまだ解明されていないことが、非常に不思議に思えた。電気は物理学の領域で、医学の領域ではないが故に、真犯人を見つけられないのではないか?という低次元の疑問すら湧いてきた。同時に死を招きかねない心房細動の治し方に関して、どの本も論文も言及していないのは、あまりにも不条理ではないか、と感じた。世界中の学者が研究しても、見つからないのだから、相当難しい問題であることは明白だが、死ぬか生きるかの当事者である私が手をこまねいているわけにはいかない。私は浅学菲才《せんがくひさい》の門外漢であるが、私なりの挑戦を試みたいと思うようになった。

私の場合、心房細動は決まって早朝に起こる。これは原因解決の一つの手掛かりになるのではないか、と考えてみた。

想定された三つの原因

心臓は自分の意志によって動いているのではなく、自律神経によって動いている。自律神経には交感神経と副交感神経があり、起きている時には交感神経が、寝ている時には副交感神経が優位に働いている。早朝は、その副交感神経と交感神経が交叉する時だから、その交叉が上手く行かない時に、心房細動が起こるのではないか、と考えてみた。関連すると思われる多数の論文を調べると、私と同じ考えを持った研究医に、交感神経と副交感神経の電位差を実測して、心房細動の解明に挑戦した先人がいることを知った。

しかし、両神経の交叉は早朝だけではなく、寝際にも生じることから、この説は行き詰まってしまった。

次に、私は前職で勉強した、生体電気（生物の体内で発生する電位）の側面から考えてみた。電気ウナギや電気ナマズなど、強電気を発する魚のことを思い出したのだ。かつて勉強した本を読み返して、電気ウナギは歳をとると、強力な電気を生み出すことがあまりできなくなる、ということを知った。その原因は、電気を出す際に消費するエネルギー源であるＡＴＰ（アデノシン三リン酸）が年齢とともに減少するため、とのことであった。ＡＴＰは人を含むほとんどの生物が持っているエネルギー源だ。

私も高齢になってから心房細動が悪化したので、電気ウナギ同様、ATPの減少により、細胞から発せられる生体電気が減少したことが、心房細動の遠因になったのではないか？と考えてみた。しかしこの説では、心房細動が主に早朝に起こることと結び付かないことに気付いて、追究を諦めた。

そして、私たちが身近に感じる静電気、例えばドアノブに触った時にピリと感じること、を思い出した。靴底と絨毯の間で発生した静電気が、身体の細胞をリレーして手の指先にまで達し、接触した金属との間で放電される現象だ。寝ている時は、心臓以外の身体の筋肉は静止しているが、心臓の筋肉だけは平常通りに拍動している。筋肉は筋膜に束ねられている。その筋膜同士が擦れ合えば、心臓の周りだけは静電気が充満するのではないか？　この静電気が早朝に限界点に達して、心臓に異常な電気信号を送り込む原因ではないか？と考えてみた。

しかし、静電気の放電は一瞬のうちに起こり、継続性がない。心房細動はかなりの時間、継続するから、この説も行き詰まってしまった。ただこの一瞬の放電によるショックが心房細動の引き金になっている可能性はないだろうか？

そうこう考えているうちに、指定された検診日がやってきた。

３　再発したらペースメーカー

最新のカテーテルにびっくり

血液、レントゲン、エコーと心電図の検査結果を見ながら、担当医は「これは今しがた始まった病気ではありませんね。かなり前から心臓の異常に気が付いていたはずですよ。でも人生は１００年といわれる時代、あなたの余命は長いのだから、アブレーションか電気ショックで治しましょう」と言った。

アブレーションとは、カテーテルを太ももの付け根から静脈血管を通して心臓に挿入し、その後から細い導電線を通し、左心房の上方に位置する肺静脈の入口付近を高周波で焼き切る方法である。最近では、カテーテルを通して風船を送り込み、そこに亜酸化窒素ガスを封じ込めて、肺静脈入口周辺を冷凍遮断する方法が主流となっている。

しかし、いずれの方法もカテーテルの先端で心房の壁を貫通させる作業が伴い、熟練医師による高度な技術が必要と思えた。「こんなに細いものですから心配いりませんよ」と医師が言いながら見せてくれたカテーテルを見て、私はびっくりした。

古い話だが、１９７６年の春、私はスウェーデンの首都ストックホルムで勤務していた。スウェーデンはスイスと並び永世中立国で、第二次世界大戦の戦火からは免れていた。人口はわずか八百万人だが、大戦直後はおそらくアメリカに次いで世界第二位の輸出経済大国であっただろう。私の仕事は、日本向けに産業機械を輸出することだった。ある日の朝、出社すると私の机に大きな包みが届けられていた。開けてみると、中にはたくさんの細いビニールの管が入っていた。セルジンガー博士によって発明されたカテーテルだった。そのカテーテルの最新版が私に使われようとしていたのだ。

ペースメーカーは絶対に嫌！

もう一つの電気ショック療法とは、左あばら骨と右肩の下に電極パッドを貼り付けて、直流電気を流し、心房にショックを与えて、一時的に心臓を停止させる方法だ。言い換えれば、フリーズしたコンピュータを、初期化により回復させるような方法だ。電圧はそれほど高くはない。三百ボルト程度で他の臓器に損傷を与えるものではない。全身麻酔をやったうえで行うので、痛みは感じないそうだ。町の各所に備え付けられたＡＥＤとは違う。

アブレーションか電気ショック療法の選択を迫られた私は、担当医に「どちらかの療法を受ければ、再発を防げますか？」と聞いてみると、「再発したら、ペースメーカーを埋めましょう」と言われた。私は娘が耳にピアスをするのさえ反対した人だから、胸に電子機器を埋め込むなど、到底受け入れられない。

担当医から見せてもらったペースメーカーは、想像以上に小型だった。バッテリーも長持ちして、装着時の年齢によっては、死ぬまで交換は不要、と聞かされた。しかし、交通事故のような強い衝撃を受けた時や、サウナ風呂に入った時はどうなるのか?などを想像すると、とてもペースメーカーを装着する気にはなれなかった。

アブレーションと電気ショック、どちらの治療を受けても再発の恐れがあり、挙句の果てはペースメーカーの厄介になると知り、「しばらく考えさせて下さい」と言って帰宅した。

楽しい想い出は血圧を下げる

寝たきりになってから2カ月、梅雨の季節を迎えていた。腰の痛みは大分回復したものの、ベッドから起き上がると目まいを感じて、歩くにはほど遠い感じだった。心房細動の原因の追究もはかばかしくなく、本もスマホで論文を読むことにも疲れた。テレビニュースを独占するコロナ関連の映像にも飽きてしまい、テレビも見なくなった。

かといって、アブレーションや電気ショックを受ける決心もつかなかった。情けない話だが、酒だけは飲みたくなるのだ。飲んでいるうちに別世界にいざなわれ、「酒は裏切らない」と酒に感謝の気持ちが湧いてきて、そして、いつの間にか眠りに落ちてしまう。寝るといっても長い時間眠れるわけではない。しっかりと働いてこそ、そのご褒美として、長時間、心地良く眠れることが分かった。

寝ながらできる最後のことは、想い出に浸ることだけだった。良い想い出を多く作れた人が、人生の勝者なのだと気が付いた。後日、心理学の本で知ったのだが、楽しい想い出に浸っている時は、悔しい出来事を思い出している時より、血圧が20程度も低くなっているそうだ。

ちなみに、私の一番嬉しかった想い出は、小学5年の時の出来事だ。

夫に先立たれた私の叔母が、三毛猫のタマを連れて、我が家に引っ越してきた。タマは誰もが認める美しいメス猫だった。しかし、人見知りが激しく、叔母以外には誰にもなつかない。

そのタマがある日の夕方、血だらけの顔で戻ってきた。タマの鼻の頭に、三角形の石が刺さっていたのだ。近所の悪ガキが、当時流行していたパチンコでタマを打ったのだ。

私は子供ながらその時「自分は男だ」と思ってタマに飛びつき、深く刺さっていた石を顔から引き抜き、母に頼んだマーキュロで傷口を消毒した。

数日後、なんとタマが私の方に忍び寄ってきて、身体を私の足に擦りつけてくれた。その時から「叔母のタマ」は「僕のタマ」になった。

4　1カ月で歩けなければ実家に戻る！

女房殿、ついにキレる！

昔から梅雨はシトシトと降るとされていたが、昨今では地球温暖化のせいか、降れば土砂降りになることが多くなったようだ。強い雨音を窓越しに聞いていたある日の昼間、女房に頼んだはずのお銚子がなかなか来ない。どうしたことかと思っていると、突然女房がやってきて、徳利の代わりに持ってきた一枚の紙片を私の顔の前に突きつけた。

それは、結婚当時住んでいた家の庭で、小学生の甥と私が写っている写真だった。女房は「この人は誰よ？　今のあなたとは別人じゃない。こんなに変わってしまうと知っていたら、結婚なんてしなかったわ！」と怒鳴り、退室していった。それまでの女房からは想像できない態度だった。自分で見ても、同感せずにはいられなかった。

そしてその日の夕方私に「あとひと月だけ待ってあげます。それまでに起き上がれなかったら、実家に帰らせてもらいます」と、言いながら壁に吊るされたカレンダーの次頁に、マジックインキで同日の数字を、大きな丸で囲んだのだ。

甥と若き日の私

それで、結婚することになった？

多くの文人が「結婚は相互誤解の結果」と述べているが、私たちの結婚は偶然と、とんでもない相互の勘違いによるものだった。

40年ほど前、私はイギリスからの帰路、地中海の真珠と評されたレバノンの首都ベイルートに立ち寄り、その後、水路で横浜港に向かっていた。ようやく涼しくなった夕方、私は甲板に出て、インド洋に沈みゆく真っ赤な太陽を眺めていた。写真に撮ることも、絵に描くことも到底不可能と思えるほど美しかった。このロマンチックな感動を誰かと分かち合えはしまいか、と隣を見ると、欄干にもたれて夕日を拝むように見ていた女性がいた（隣の部屋で今、昼寝をむさぼっているのがその女性である）。

帰国後、彼女は私の秘書になった。ある日曜日、仕事場に忘れた書類を私の家に届けに来てくれた。私はお茶を飲みながらテレビで高校野球の決勝戦を見ていた。彼女に話があったので、試合終了まで待っていてもらった。野球に全く興味がなかった彼女も、テレビ観戦をすることになった。試合は最後まで勝敗の行方が分からぬ好試合だったが、隣に座る彼女の反応が妙で、私は野球観戦に集中できなかった。

試合後、私は彼女の妙な仕草の訳を問いただした。そして、やっとのことで、その原因が判明した。彼女は、打者が振るバットめがけて、投手が球を投げていると思っていたのだ。ホームランを打たれるのは、投手の失投ではなく、打者が鋭く振るバットに、ものの見事に球をぶつけた結果だと勘違いしていたのだ。あきれ返って、その日一日、彼女のことが忘れられなかった。

マウスは逆に動かすもの!?

その後、逆にとんでもない私の勘違いを彼女によって暴かれてしまった。かつてコンピュータはキーボードによって動かされていた。しかしマウスが登場して、コンピュータの操作、特に作図方法は一変した。マウスが普及して、しばらく経ってのことだ。誰もがしきりに感心していた私のマウスさばきを見て、彼女は大笑いしたのだ。

当初、マウスはパソコン本体とワイヤーでつながっていた。そのワイヤーがネズミの尻尾に見えたためにマウスと呼ばれるようになった。そこで、私は尻尾を手前に、マウスの頭を前方に向けて操作した。マウスを右に動かすと、画面上のカーソルは左に動いた。私はそれを見て、どういう訳か時計の針の動き方を考えてしまった。人間は時計の針の動きを「右回り」と呼ぶ。しかし、時計自身は針を左に回転させている。コンピュータも同様、マウスとカーソルの動きが上下左右反対に動くように設計されている、と勘違いしていたのだ。それまで彼女以外は、誰も私の勘違いを訂正してくれてはいなかった。

インド洋に沈む真っ赤な太陽と、この二つの勘違いにより、それまで長年維持してきた結婚相手を決めるハードルの遥か下を、やすやすと彼女にすり抜けられてしまったのだ。

もう一つの勘違い

結婚40年目になって、初めて分かった女房への勘違いもある。私は公私ともに多弁である。話しながら聞き手の反応を見て、自分の考えの成否を推し量っている。私の多弁に付き合わされている女房は、同じ話を何度も何度も聞かされているはずだ。ところが、いつでも女房は初めて聞いたかのように笑い、驚いてくれる。この点に関しては「良い女房をもらったものだ」と思っていた。しかしこれさえも、私の勘違いだった。女房は私の話を、聞いている振りをして、実は全く聞いていなかったのだ。

こんな女房でも、この歳になって逃げられてはたまらない。私はオーナー・シェフとして飲食店を経営した経験があるので料理は問題ないとしても、掃除、洗濯、アイロンがけ等今さらやりたくはない。かといって私には、施設に入って、大勢の老人と生活する社交性はないし、施設ではお酒も自由に飲めなかろう。

結局は、女房殿の命令に従って、１カ月以内に歩けるように頑張るしかない、と決心した。

第5章

アンダンテ体操で寝たきりから1カ月で歩けるようになった

1　七十五の手習い

急がば回れ

たった1カ月の間に、「歩けるようになる」ことを実現しなければならない。歩けるようになるためには、寝たきりで固まってしまった筋肉を揉みほぐすことから始めるべきだが、ギックリ腰を起こした原因である柔軟体操をする勇気はない。

私にはこの13年間にオン・ジョブで勉強した医学の知識と、ベッドの脇に置いてあるスマホがある。昔の寝たきり老人より遥かに恵まれているではないかと思うことにした。早速、スマホを使い、役立ちそうな本を探し始めた。驚くほどたくさんの健康に関する書籍や論文が紹介されていたが、「歩けるようになる」とうたっている本は見つからなかった。「心房細動」で調べた時には、多くの論文が検索されたのに、「歩く」という基本的行為に関しては、ネットで自論を述べる人はいないことを知った。

結局は、心房細動を治す方法も、歩けるようになる方法も、自分で考えなくてはならなくなった。ビジネスに成功するには、人がやらないことをやって初めてチャンスが訪れる。人の真似をしていたのでは、先人や大手には勝てない。

忙しい人にとって与えられた1カ月は短いが、寝たきりの自分には、充分な時間かもしれない。基本に戻って、勉強し直してみよう。歩けるだけではなく、心房細動を治す方法も見つかるかもしれない、と楽観主義が戻ってきた。

人間はなぜ重力に逆らって直立歩行し始めたのか。どのように進化して他の生物から分かれたのかを、改めて理解し直そうと思った。遠回りだが、そこから私の歩く能力が回復できるような気がした。それに加えて、コロナに人間が圧倒されてしまっている理由も、この際知ってみたいと思った。そこで私は、普段読むことがなかった天文学、人類学、生命科学に関する本をネットで取り寄せた。

寝ながらの勉強

寝ながらの読書は首が痛くなり、腕もしびれたが、寝返りを打ち、枕の位置を調整しながら頑張った。外部からの邪魔も入らないので、通勤の車中や仕事の合間の読書よりはずっとはかどった。著者と読者である自分との距離が短く感じられ、著者の苦労や迷いなども読み取れた。

生物の進化を勉強していると、家の前を歩いている犬も、寝ている私も、歴史のチョットしたブレで、逆になっていたかもしれない、と考えるようになった。私の遭遇した交通事故も、私の世界観を変えるために仕組まれていたようにも思えて、寝たきりであったことに感謝する思いさえ湧いてきた。

心房細動に悩まされている犬もきっといるだろう、そんなことも考えられるようになった。実際、体調が回復した後、家の近くにある動物病院を訪ねてみた。その折、獣医さんより「犬が心房細動を起こして間もなく死んだ、という海外のレポートを読んだことがあります」との答えが帰ってきた。

この時、獣医さんから「象の寿命は約70年、ネズミの寿命は3年。しかし大きな象の心拍は遅く、小さなネズミの心拍は速い。どちらも生涯の心拍数は15億回程度です」と聞かされた。それを聞いて、私の主治医が「心房細動を起こすと、心拍数が速くなる人が多いようです」と言ったことを思い出した。「心房細動を早く治さなければ、早く死にますよ」という意味だったように思えてきた。

驚くべき遺伝の仕組み

私は前職を通して、遺伝については勉強したつもりだったが、それはあくまでもビジネス用の限られた範囲だった。今度は自分の命のために、基礎から勉強をし直してみようと考えるようになった。「六十の手習い」ならぬ七十五の手習いだ。

改めて感じたことは、生物の進化はすべからく、環境の変化に適合するように、自らの体質・体形を変化させてきた行程に他ならないということだ。すなわち、太古から現代に至るまでの真の主役は、地球環境の変化と、それに即応して変化し続けてきた遺伝子たちだった。

人間の身体を形成する細胞の数は90兆個といわれ、それらの細胞の核の中には、２重らせんの帯状につながった23対の染色体がある。染色体は顕微鏡で見るとアルファベットのXの字のように見える。ただし男性の場合は23番目の染色体の片方が一部欠けている。これを文章で表せば、女性はXXが23対、男性は23対目の片方のXの片足がないから、23番目の遺伝子はXYとなる。この片足のないことが男女差を生む原因だが、その結果、いくつかの遺伝性の病気に対して、男性の方が劣勢に立たされる場合が多い。医療の発達した現代では、女性の寿命は男性よりも十年以上長く、健康寿命の差はさらに大きいといわれている。

ご存じと思うが三毛猫のオスは滅多にいない。その理由は、オス猫もヒトの男と同様、染色体の一対がXXではなくてXYなのだ。黒と白と茶の3色をミックスさせるための遺伝子が、XYの遺伝子の失われた一本の足の方に入っていたからだ。よって三毛猫のメスが、どんな色のオス猫と結ばれても、三毛猫のオスを産むことはできない。ただし、遺伝子はまれに外部からの刺激により情報伝達ミスを起こしたり、遺伝子が抜け落ちたり、あるいは侵入したりすることがある。これが突然変異だ。その結果、三毛猫のオスがたまに生まれてくることがある。日本の船乗りたちは、三毛猫のオスを船に乗せれば、嵐に遭遇しても難破しないという迷信を持っていた。そこで、三毛猫のオスは船主たちに高額で買い取られた。

卵子と精子が合体する不思議

これらの遺伝子はヌクレオチドという4つの基本単位（A、G、B、T）から構成されている。Aはアデニン、Tはチミン、Gはグアニンそして Cはシトシンである。この4つが順番や結合の長さを変えて連なっている。その一区切りの文字列を遺伝子と呼ぶ。前述のように、時々これらの遺伝子の転写ミスが起き、「人が老化するのは、遺伝子の転写ミスの蓄積である」とする説もある。

女性の卵子と男性の精子が合体すると、遺伝子も混ざり合い新しい組み合わせができる。そこで、ある遺伝子は母親から、ある遺伝子は父親から引き継ぐことになり、眉の形は母親、唇の形は父親、背の高いのは祖父似だったりするのだ。

遺伝子の勉強をしていて私が一番驚かされたのは、そのハヤワザだ。合体してできた最初の細胞が、次々と分割されて細胞の数が増え、胎児は成長していくのだが、細胞が分割される直前に、染色体の二重らせん（ＤＮＡ）がほどけて一重の帯（ＲＮＡ）になる。そこに並んだ膨大な量の遺伝子たちが遺伝酵素の助けを借りて、新しい二重の帯（ＤＮＡ）になって、次にできる細胞に乗り移るのだ。

私たちはダーウィンに、「人間は神が創造したのではなく、猿から進化した」と教えられたが、この遺伝子の転写の速度を知った時、これはまさに、神技だと私は思った。

女性が８倍速く広がっていった

人類は八百万年前から存在していたと推定されているが、世界に現存している人は全て、わずか十五万年前に、アフリカに住んでいた人たちから分岐していることが、遺伝子解析により明らかにされている。

女性の遺伝子と男性の遺伝子には配列に差がある。そこで女性と男性の遺伝子を別々に解析した結果、どちらも十五万年前までしか遡《さかのぼ》れないことが判明した。すなわち、現代人は十五万年前に共通の先祖をアフリカに持っているのだ。

それから人間は現在まで、世界中に散らばっていったのだが、その散らばり方は意外なものだった。

常識的には、狩猟をしていた男性や、勇ましいバイキングの男性が新天地に移り住んだ、と考えられていた。ところが遺伝子解析により、女性の方が8倍の速さで世界に広がっていったことが証明されている。その訳は、例えばAという村の女性と、Bという村の男性が結婚（略奪かもしれない）すると、A村に生まれた女性がB村に移り住む。その子供たちの女性がC村の男性と結婚するとC村に移り住む。その繰り返しによって女性がどんどん新天地に移住していったのだ。男たちの大胆な動きは歴史上、複数回起こったが、女性の地味な移住は、コンスタントに行われ続けていたのだ。

2　進化の主役は遺伝子

北欧で進む遺伝子学

遺伝子学者にとって、北欧5カ国の一つであるアイスランドは「宝の山」といわれている。９世紀から10世紀にかけて、ノルウェー人のバイキングがイギリスの北に位置するアイルランドを襲って、４６７人の女性をさらい、アイスランドに連れ帰った。アイスランドはその名前から、寒冷の島国と思われ、先住民の足跡はなく、それ以後の人口の流入もほとんどなかった。そのため現住民26万人の大半は、この女性たちの末裔といわれている。姓名や教会等に残される系図から個人のルーツは分かりやすい。遺伝子学者たちは、アイスランド人の病歴や体形の特徴を系図に沿って遡《さかのぼ》り、どんな病気や肉体的特徴が遺伝しやすいかを探求しているのだ。ちなみに、お隣のグリーンランドは暖かそうな名前だが、非常に寒い氷の地である。

人間は進化の途中

私事だが、この本を書いている間に、遅ればせながら初孫ができた。私が抱こうとすると、「首が座ってないから、頭の下に手を置いて」と大声で娘に注意された。赤子を抱いた時、急に疑問が湧いてきた。ヒト科のチンパンジーの母親はどうやって赤ん坊を抱くのだろうか？

いろいろ調べてみて、チンパンジーは胎内にいる時、既に首が座っていることを知った。人間は頭デッカチに進化してしまい、胎児が成熟してからでは、母親の産道が傷つき、胎児の頭も圧迫されてしまうから、首が座る前の未熟な状態で生まれてくる。人の頭の大きさの進化と、母親の身体の進化のタイミングにズレが生じていることになる。

そういえば、人間はいまだ進化の途中であることが多々見受けられる。不要である盲腸や尾てい骨、中には複乳を持った人もいる。

一方、不都合に退化してしまったと思えるものもある。目が発達したため、嗅覚が犬の百万〜一億分の一になってしまった。また、かつては体内でビタミンCを生産していたが、ヒトが猿から分化する段階でその機能は失われ、私たちは健康維持のために、せっせと野菜や果物を食べなくてはならないように退化してしまった。まさか神様は人間に、「農業を営む」ことまでプログラムしたのだろうか。

寿命は現在のレベルで停滞する

寝たきりになると、自分の病気は環境か遺伝のどちらに由来するのか？知りたくなる。環境には飲食、睡眠、運動など自己責任によるもの、空気、水質、疫病など社会環境によるもの、事故、他殺など偶然に起こるものがある。遺伝は両親から子へ、子から孫へと縦方向に伝えられるが、環境によっても影響を受ける。食生活の改善によって、消化器系のがんは減り、進歩した医術はがん細胞を消滅させる、あるいは制御する。この百年で日本人の平均寿命は大幅に延びた。特に出産時の事故の減少と、がんの早期発見が大きく寄与している。今後、再生医療、臓器移植やサイボーグ化により寿命はさらに延びる可能性がある。

一方、新興国の大都市、北京やニューデリーなどでは自動車や発電所による大気汚染が続いており、住民たちは呼吸器の病気を訴えている。欧米では相変わらず肥満に悩まされる人が多く、薬物依存者も増えている。また、地球温暖化による洪水や干ばつ、そして大気を汚染する森林火災が年々増加傾向にある。そのうえ世界大戦の勃発も危惧されている。それらを勘案すると、世界的な寿命の延びは現在のレベルで停滞すると私は推測している。

3　古くから心臓は別格扱いだった

心筋の細胞は再生しない

私は健康本や論文で、大抵の筋肉細胞は3カ月ほどで再生されることを改めて学んだ。「再生された筋肉を、寝ながら、いかにして歩行能力に結び付けるかが、寝たきり生活から解放される鍵である」との結論に達した。

一方、心臓の筋肉細胞は、他の細胞とは違い、分裂して細胞が増えるのは胎児期だけで、その後は分裂せず、生涯再生することがないことを知った。年齢を重ねるに従い、細胞数は徐々に減ってしまう。これでは、毎日の早朝に襲ってくる心房細動については、回復の見通しが立たない。

だからといって、死ぬまで心房細動に悩まされるのは御免だ。心臓は自律神経によって制御されているのだから、心臓と神経に的を絞って、もう一度勉強し直してみようと決心した。

心臓に関する一番古い論文は、エジプトの考古学者によるものだった。古代エジプトの墓から多くのミイラが発見されているが、心臓だけは別個に葬られていたのだ。当時はまだ、思考は心臓によってなされていると考えられていたからだ。紀元前４世紀になって、ギリシャに生まれた医聖ヒポクラテスやトルコ生まれの医師ロフィロスたちは死罪を宣告された奴隷たちを解剖して、思考は心臓ではなく、脳が司っていることを初めて知った。しかしその後、14世紀にルネッサンスが始まるまで、宗教が社会を支配する時代が続いて、人体解剖はされず、医学は停滞した。

現在の日本でも、心臓はココロのクラ、神経はカミのオシエを意味する漢字が当てられている。これ以上に適切な言葉も文字も見つけられなかったからだ。

心臓を和英辞典で引くとハートと書かれている。今度は英和辞典でハートを引くと心、愛、気持ち、その後に心臓と出てくる。そんな言葉は他にあるだろうか。文学者たちは、あまり心臓のことは書かないが、心や愛の話は満載だ。

「お医者様でも　草津の湯でも　恋の病は治りゃせぬ」という詠み人知らずの古い都都逸がある。恋ワズライという言葉も盛んに使われた。私の友人の中に、初恋の女性にふられてしまい、その胸の痛みを二度と経験したくはないと、生涯独身を通している男もいる。

男性は強そうに見えても、その心臓は、血液を循環させる臓器というよりも、ロマンチックでナイーブな風船のようだ。しかし今では、スマホのお陰なのか、ラブレターを書く人も、ホームシックになる人も少なくなってしまった。

循環器としての心臓に関しては、その解明と治療技術は非常なスピードで進んでいる。再生医療分野（特に幹細胞研究）と3次元印刷技術の連携により、人工心臓を製造する段階に至っている。幹細胞によって作られた人工心臓は、短時間のうちに正常なスピードの鼓動を始めさえする。

それでも、心房細動の治療方法は見つかっていない。

自律神経と体性神経

人の身体で一番分かりにくいのが神経だ。脳も心臓も複雑極まりない臓器だが、一応、姿や形がある。それに対して神経は不可視的に身体中に張り巡らされていて、それ故に神経痛は時と所を選ばずに発症する。「あなたは神経質だ」と言われても、どこをどう直せばよいか分からない。誰でも一度は、トランプで「神経衰弱」をしたと思う。記憶力の鍛錬にはとても良いゲームだが、妙な名前が付けられたものだ。

神経とか精神は、本当に分かりにくい。循環器科の専門医は、副交感神経を「迷走神経」

と呼んでいる。科学の分野において解明が難しい事象には、具象的表現を避けて、文学的もしくは曖昧な表現を使う傾向があるようだ。心臓を無意識のうちに動かす神経を「自律神経」と呼びながら、腕や足の筋肉を意識的に動かす神経を「体性神経」と、ピンとこない言葉を当てている。能動神経とか行動神経とでも呼べば、分かりやすいと思う。

その自律神経のうちの交感神経は昼に活発化し、副交感神経は夜に活発化するといわれている。私は朝晩、心拍と血圧を計測しているが、確かに、眠くなると心臓の鼓動は遅くなる。副交感神経が働き出して眠らせることによって、身体を休ませようとしているようだ。

現在では、人の動作や生理現象が、脳のどこの部分に由来するか、どの神経とつながっているのか等、かなり詳しく解明されている。交感神経と副交感神経が上手にバランスをとって、人体の健全性を保っていることも、分かってきている。

白髪は交感神経が優勢状態にあるとできる⁉

神経に関して、私事で恐縮だが、四十歳ころから急に白髪が増えた。別段気にはしていなかったが、小学校の娘の授業参観日に出席した帰り道、娘が友人たちから「どうして、お爺さんを連れてきたの?」と言われてしまった。その時から、白髪の原因を調べ始めた。多くの医者が、「白髪は血液をコントロールする腎機能の衰えが原因」と述べていた。しかし、今日まで行った血液検査の結果、腎臓の機能を示すクレアチンや尿酸等の数値に、異常が見つかったことはない。

一方、白髪の原因を「血管を収縮させる交感神経が、長時間に亘って優勢状態に置かれるため」とする説も、多くの論文に記されている。これに関しては、思い当たるふしがある。私は職業上、国際会議の通訳を長期に亘ってさせられている。通訳はまさに一つのミスも許されない修羅場だ。私がこの世にもう一度生を受けたら、通訳せずに済む職業を選びたいと思っている。

白髪で有名な話「マリー・アントワネットが断頭台に立たされた時、前日までの美しいブロンドが一夜にして白髪になった」については、「ノルエピネフリン(ノルアドレナリン)が毛包の色素再生幹細胞を過度に活性化して、毛根の色素を短時間に消滅させてしまった」という最近の研究もある。松本清張の名著『西街道談綺』でも、一夜で白髪化した女性がサスペンスの主題になっている。

神経と身体の関係は、まだまだ奥が深そうだ。

母の鼓動と胎児の鼓動

「最初の哺乳動物が誕生した時点で、心臓はいかに鼓動を始めたのか？」ということに興味を持っていたが、私の勉強からは、明快な答えは得られなかった。しかしヒト種の場合は、母の子宮膜に着床した受精卵が、次第に細胞分裂を始めて、５週間ほど経った時に胎児の鼓動が始まる。その時はまだ母の心臓に頼っているので、母の鼓動（健康な人の心拍数は１分間に60～72）と同じだ。その後、胎児の細胞の数が増えて、それぞれの細胞が出す電圧の総量が心臓を動かすまでに達した８週目頃から、胎児自身の鼓動が始まる。ただし、胎児の身体は小さいので、鼓動も90～１２０と母体の鼓動よりも速い。いずれにせよ、胎児は生まれてくるまでの長い間、母の鼓動を体感していたのだ。

４　「ゆっくりと美しく歩くように」身体を動かす

アンダンテ・カンタービレのテンポが最適

ヒトの鼓動について勉強していた朝、前日に娘からお見舞いと称して送られてきたCDを、枕元に置いたレコーダーで聞いてみた。最初の曲はチャイコフスキーのアンダンテ・

カンタービレだった。音響マニアだった若い頃、さんざん聞いた曲だが、久々に聞いて驚かされた。

アンダンテとは「歩く」という意味で、カンタービレは「ゆっくりと（歌うように）美しく」という意味だ。私が求めていたのは「これだ」と、飛び上がるような気持ちになった。

音楽のアンダンテのリズムは63から69で、人間の正常な鼓動60から72と符合している。中心のテンポはどちらも66だ。寝たままの私には速い運動はできないが、このテンポなら大丈夫だと思った。

昔は「産後は安静にしなさい」と言われていたのが、現在では「歩け」「歩け」と言われる。心臓病患者も「安静が第一」と言われていたが、歩く方がよいと言う医師も増えた。ましてや、心房細動は心臓自体の異常ではなく、心臓外から侵入する異常な電気信号が原因だから、安静よりも、寝ながらゆったりとした運動を始めた方が歩けるようになるのはもちろん、上手くすれば心房細動も治るのではないか、と予感した。

体操にはメトロノームを用意

ゆっくりしたリズムで身体を動かすには、どうすればよいのだろうか？

数曲の交響曲を聞いているうちに、答えが出てきた。演奏家たちがリズムを合わせる時に使う、メトロノームを思い出したのだ。早速ネットで調べてみると、旧来のゼンマイ式も、最新式のデジタル式も、３～５千円程度で買えることが分かった。私は振り子が見やすいゼンマイ式を選んだ。

メトロノームには、左右に揺れる金属製の振り子があり、手動で上下させる錘《おもり》がセットされている。振り子の後ろには、速度の呼称、例えばアレグロ（速く）、その横には132、アダージオ（遅く）には58の数字が刻まれている。

体操に入る前に、カチカチという音が66回、振り子が33往復するように、振り子の錘を66ＡＮＤＡＮＴＥのキザミに合わせる。錘の位置は、接触や衝撃などで変わってしまうこともあるので、時々チェックする必要がある。メトロノームは楽団の練習時にも使うので、音が大き過ぎると感じられるかもしれない。その場合は、音量が調整できるデジタル式を選ぶと良い。ただし、スマホでメトロノームをダウンロードできる場合もある。

アンダンテのリズムで身体を動かす

早速、寝ながら行える体操をいろいろ模索して、それらをメトロノームのアンダンテのリズムに合わせて実行してみた。試行錯誤を繰り返しながら、それらを一連の体操に組み上げてみた。

家内から約束させられた1カ月以内の歩行力の回復が主目的だったが、心房細動の治癒も意識していた。歩くための下半身の運動と、心房細動を意識した上半身の運動を交互に行うようにプログラムしてみた。結果的に、交互にやることが、上下の筋肉の疲労回復に役立った。

最初の目的である「歩けるようになる」ためには、「足裏の筋肉」「アキレス腱の柔軟性」「前脛スネの筋肉」「ふくらはぎの筋肉」そして「大腿筋」を回復させる必要がある。これらの筋肉の運動をアンダンテ体操に組み入れた。

また、歩き始めてから分かったことは、寝ている時に使っていなかった臀部の筋肉にかなりの疲れを感じることだった。そのために、臀部の体操を加えた。

歩き出すための準備

寝たきりだった人が歩き出すためには、まず「立ち眩み」を克服せねばならない。いきなり歩きだし、立ち眩みして、転倒することは絶対に避けるべきだ。

長く寝たきりの状態が続くと、血液循環に異常が起きる。私のように寝返りを打たずに寝る人は、鉄分が多い赤血球が背中側に集まる傾向が出る。歩けるようにするには、まず意識して寝返りを頻繁に打つことを心がけよう。

次に上半身を下半身より高くして寝ることだ。私のベッドはリクライニング式ベッドではなかったので、マットレスを背中に押し込めて寝る工夫をした。

３番目は、座る状態（足は伸ばしたまま）で寝ることだった。人類学の本に、「多くの民族は昔、座位で寝た」と書いてあったからだ。これにより、立ち眩みを防ぐことができる。

立ち眩みを克服した後は屋内で、壁や大きな家具に沿って、伝い歩きを始めよう。畳や、カーペットのへりのような、わずかな段差でもつまずくことがあるので、つま先を多少とも上げて歩くことをお勧めする。

丁度1カ月目に歩いてみせた

アンダンテ体操は朝だけではなく、昼も夜もやるようにした。それに比例するように、食事量も増えて、睡眠も夜だけになった。気分が良くなるにつれて、酒量を減らそうとする意識も湧いてきた。

そして梅雨明けの朝、家内が見守る中、家の前の道を杖なしで歩いてみせた。家内に命令されてから丁度1カ月目のことだった。

歩けるようになった以上、最難関の心房細動を治すことに集中した。アンダンテ体操の中心も下半身から上半身、特に心臓に近い大胸筋を伸縮させることに傾注した。大胸筋は大腿筋に次ぐ大きな筋肉で、ジムで行われている筋肉トレーニングの中心でもある。

正常な人の鼓動に近いアンダンテのリズム（66拍子）で、大胸筋を動かせば、大胸筋が発する生物電気のリズムもアンダンテのリズムになるであろう。そのリズムが心房細動の原因と想像されている異常信号に取って代わって心房に伝わり、心房細動を治せるのではないかと考えたのだ。

5　アンダンテ体操を世間に広めたい

延髄に循環や呼吸の中枢がある

アンダンテ体操を実行して間もなく、ネットで検索した論文の中に、「循環や呼吸の中枢は延髄にある」という文章があった。延髄は後頭部の一番下に位置し、固い頭蓋骨からはみ出たところにある。そのため、格闘技では延髄蹴りが最強の攻撃技とされている。この論文を読み返しているうちに、洞結節と延髄が副交感神経でつながっていることがわかった。

延髄周りの筋肉をアンダンテのリズムに乗せてギュッと押す動作を、大胸筋の運動に組み入れれば、より効果的に心臓の鼓動を正常に誘導できるのではないかと思い付いた。既に行っている体操の中に、首と枕の間で両手を結び、屈曲した腕をチョウチョの羽の様に開閉する「チョウチョ体操」がある。この体操で、枕の下で結ぶ両手の腹で、延髄をギュッと挟むと、延髄の下部を左右に流れる頸動脈を同時に圧迫できることもわかった。次ページの図はチョウチョ体操における心臓と延髄と頸動脈のつながりを示した図である。

アンダンテ体操の一つチョウチョ体操

チョウチョ体操における頸動脈と延髄と洞結節のつながり

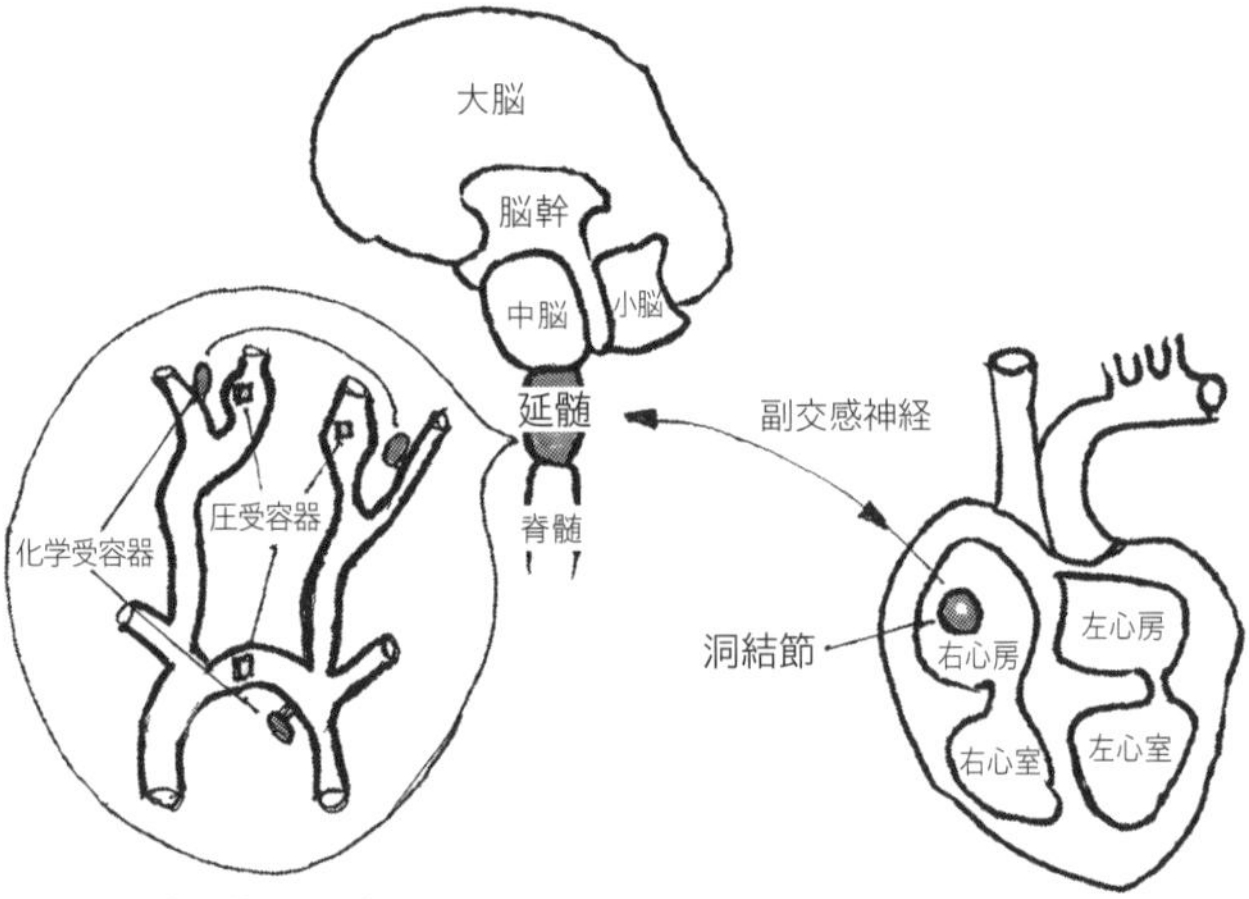

延髄近傍の頸動脈

チョウチョ体操のアンダンテのリズムによって動かされる大胸筋や胸郭の動きから発生される電気信号は、細胞を経由する間に化学信号に変化し、頸動脈に分布する化学受容器に集められ、洞結節に届けられる。また、両手の平で頸部を圧迫すると、頸動脈の圧迫受容器を介して洞結節にアンダンテのリズムが伝えられる。

アンダンテ体操の組み立て

私は、高齢になってからはセミダブル・ベッドで一人で寝ているが、同衾者がいる人の場合も考えて、横幅を取らない工夫も加えた。体操の種類も23組になり、身体への負担や難易度も考慮して入門編、中級編、上級編の３種類に区分してみた。

毎朝アンダンテ体操を続けていると、心臓の調子が良くなっていくことが自覚できるようになり、毎朝襲われていた心房細動の頻度が2日に1度、３日に1度と下がっていった。毎朝測っている心拍計付き血圧計からも、異常を知らせるハート・マークの出現頻度が低下した。しかし、月に1度行われる病院での精密検査では、心電図に心房細動を示す波形が相変わらず出てしまった。

勝負はこれからだ

アンダンテ体操により家庭用の心拍計からＯＫのサインが出ても、病院の精密検査で不合格では、心房細動への効果が示されたことにはならない。体操の内容を再検討し、より良い体操を考案し、組み立て直さねばならない。誰もがやったことのないことを成功させるのだから、長時間の努力と幸運に恵まれなくては完成はできないだろう。終わりの見えない努力を続けるためには、自分への大きなモチベーションが必要になる。

幸い私にはどうしても実行しなければならない責務がある。それは、バブル崩壊により壊れかけそうになった私の人生を救ってくれた北欧フィンランドの人たちと再会して、礼を述べることだ。心房細動を抱えていては、長時間のフライトや時差を乗り切れない。

心電図、レントゲン写真が正常に

「心房細動を治して、必ずポリの町を訪れて、皆にお礼を言いたい」と思い続けることにより、毎朝のアンダンテ体操を続けることができた。健康になろうと意識することによって、アルコールの量も減らすことができた。

そして、ついに病院の心電図からも心房細動を示す波形がなくなり、失っていたP波が戻った。同日に行われたレントゲン検査でも、拡張されていた心臓が正常の大きさに戻っていた。

アンダンテ体操の長所

このアンダンテ体操は、寝たままで楽にできることから、多くの病気に対して、回復のお手伝いができると思う。舌を回す運動は誤嚥性肺炎の予防に役立ち、腹筋運動は腸内の代謝を改善し、表情筋を動かす運動は小顔運動に一致し、同時に歯周病の治療にもつながることが分かってきた。

朝起きて、まだ眠いとか、疲れが取れていないと感じることもあるでしょう。でも、まずメトロノームを鳴らして下さい。アンダンテのリズムがあなたの背中を押して、アンダンテ体操を続けることを助けてくれるでしょう。

アンダンテ体操の長所は次の通りだ。

(1) 寝たままで体操ができる
(2) 血圧の高めのヒトにも安全な体操である
(3) 体力・既往症に応じた体操を選べる
(4) 雨でも、寒い冬でも、出張先でも継続できる
(5) どんなに眠くともメトロノームの音を聞くと、身体が動き出す
(6) 健康的な日々を過ごすモチベーションになる
(7) 横幅を取らず、パートナーがいても可能（一緒にやれば理想的）

(8) 歩行能力を回復させる
(9) 心房細動を改善することが期待できる
(10) 費用対効果に優れている(メトロノーム以外に何もいらない)

最後に心房細動に悩まされていた当時と、アンダンテ体操により回復した筆者の心肺レントゲン写真及び、心電図を掲載しておく。

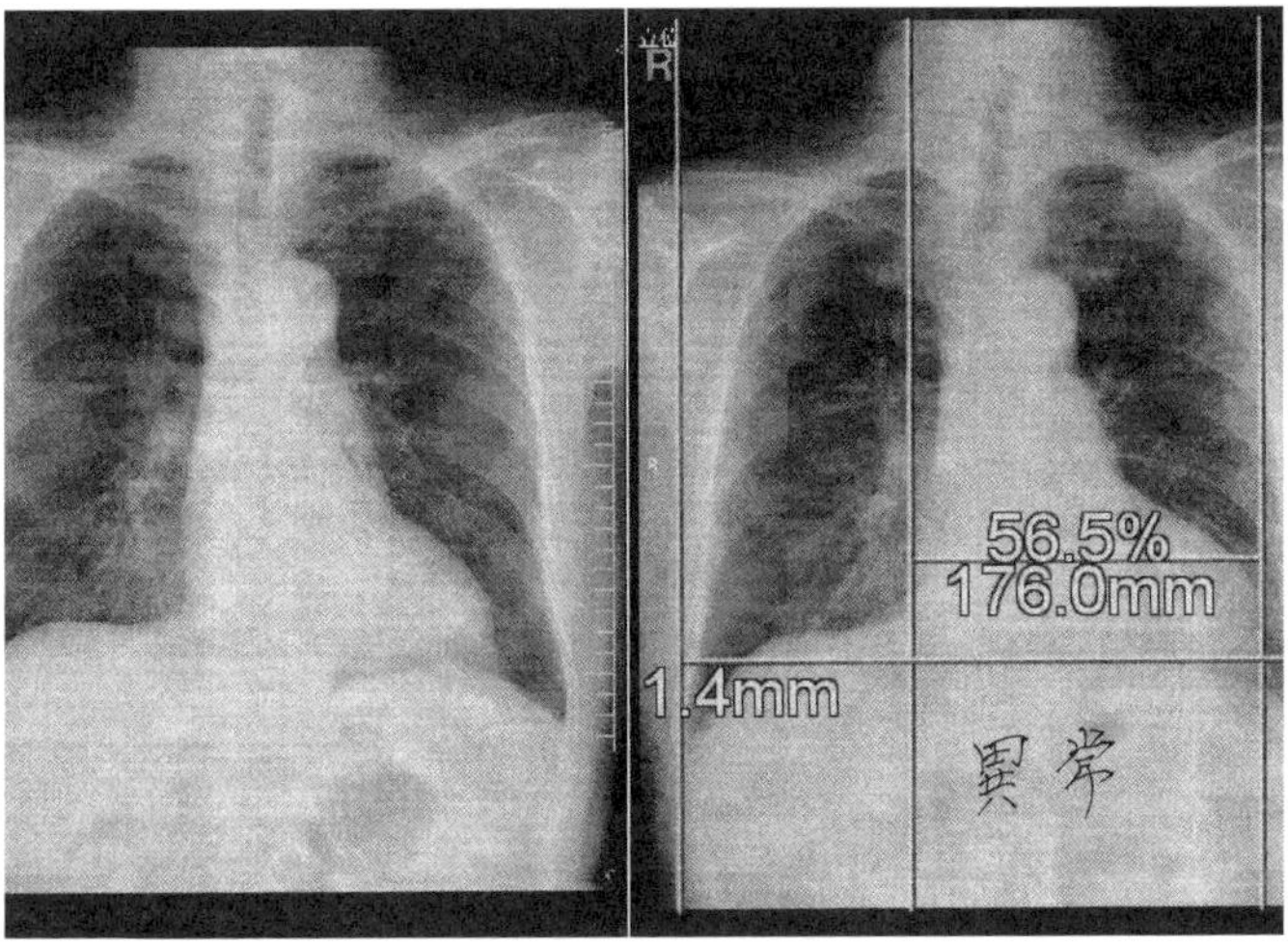

異常な心臓のレントゲン写真

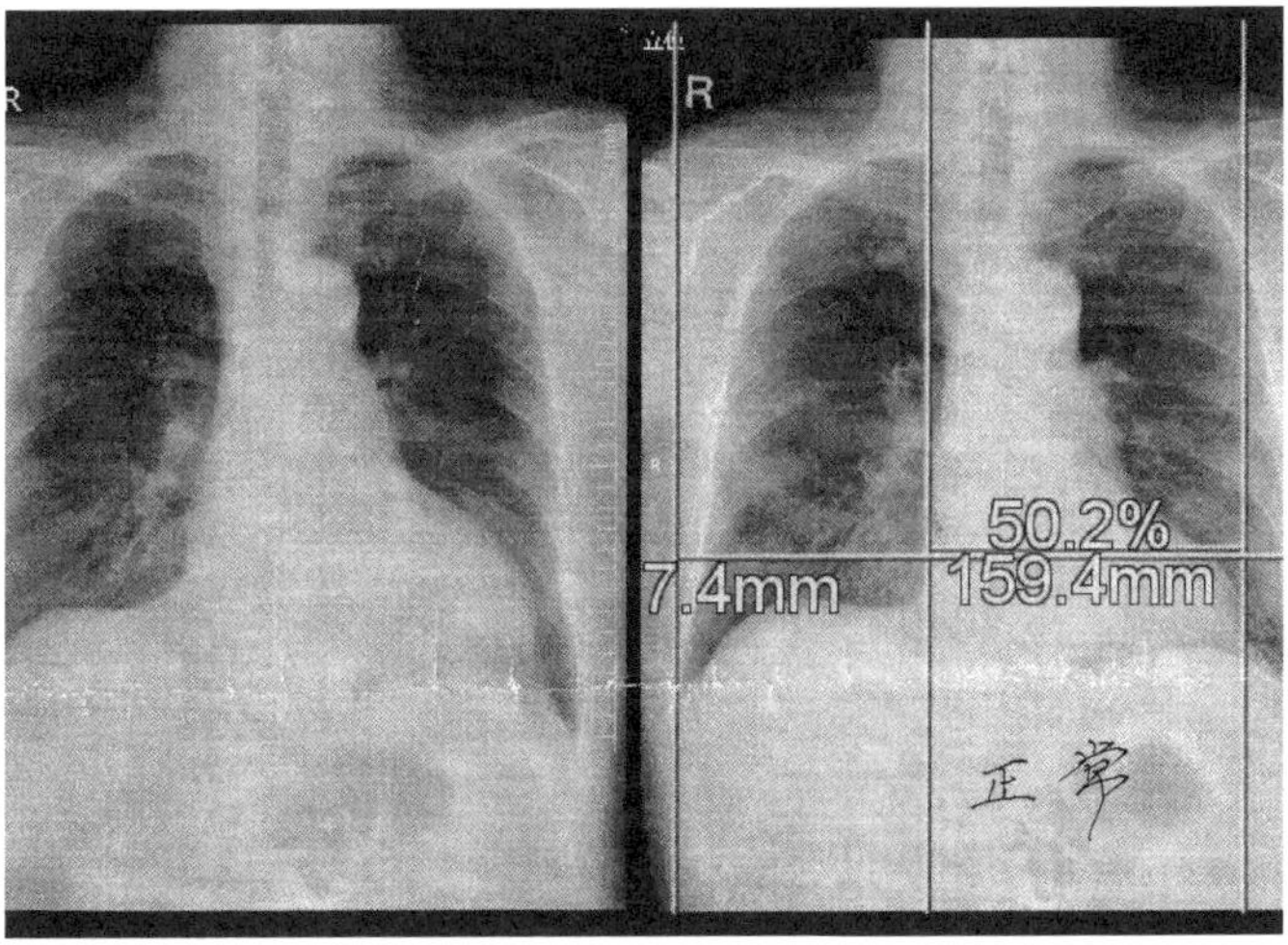

正常な心臓のレントゲン写真

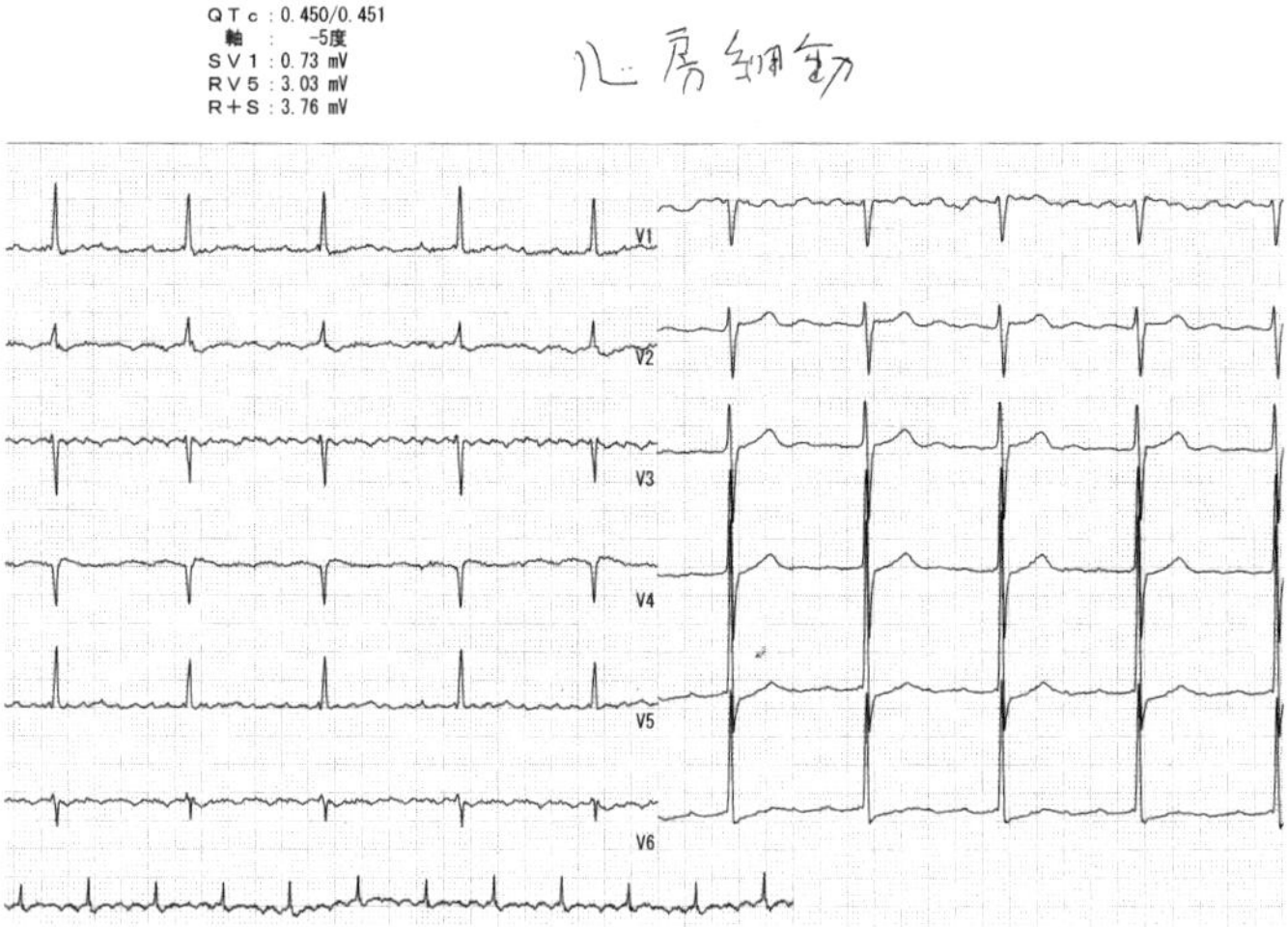

心房細動を示す心電図

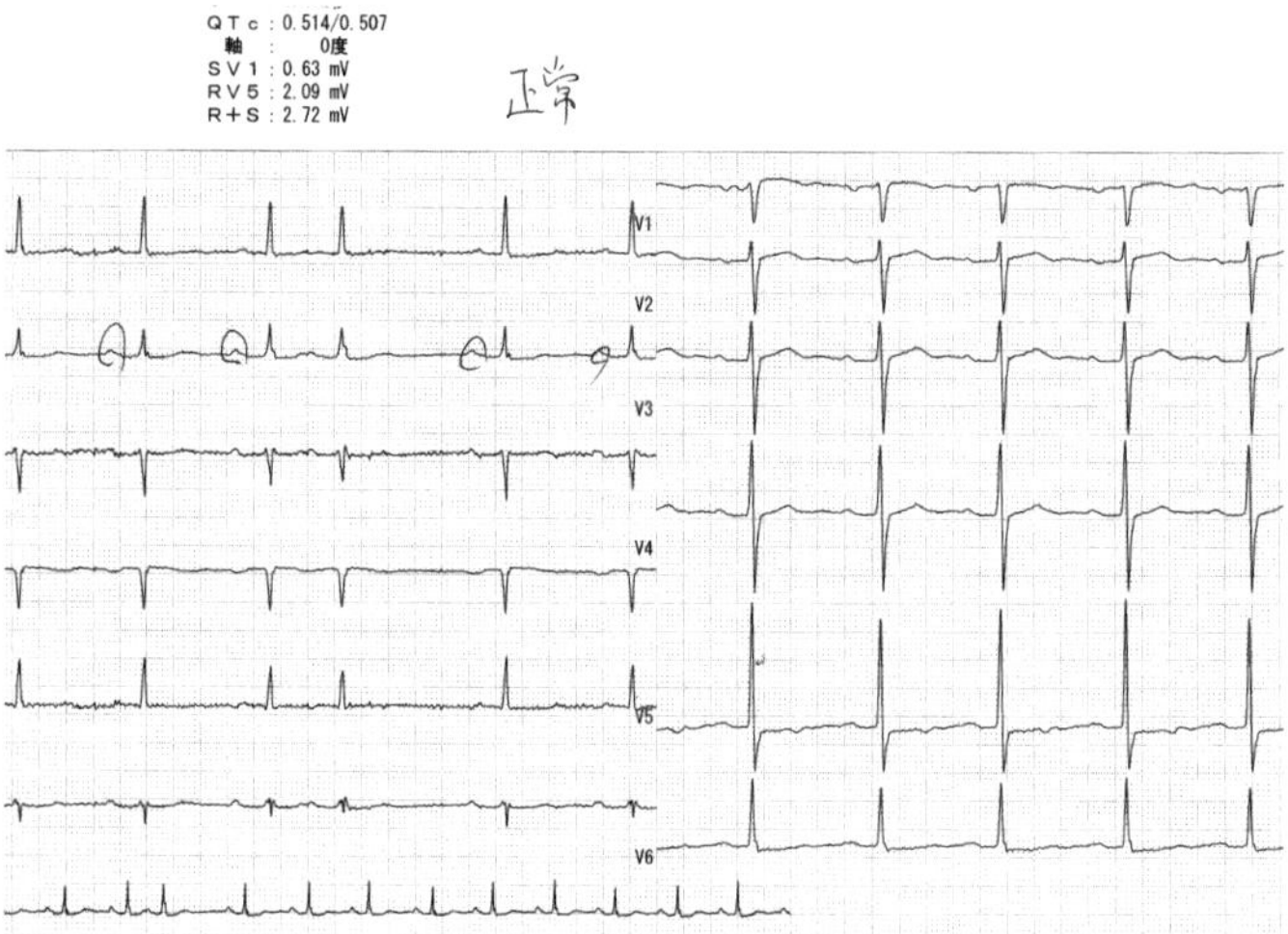

正常な心電図

おわりに

かのアインシュタインは弟子たちに「私はさんざん大口をたたいてきたが、光が何であるのか、今もって分からない」と、死を前に言い残したそうだ。

人は光が何であるかも知らないで電灯をともし、時が何であるかも知らずに時計を作った。現在も、宇宙の果てを知らずして、地球から飛び出そうとしている。他方、化石燃料が枯渇することも、環境を汚染することも知りながら石炭を燃やし、石油を掘り続けている。

「身を守る」観点からすれば、片方の目は後ろにあってもおかしくはないはずだが、二つの目は顔の前面に位置付けられてしまった。そこで人は、前に前に歩くように定められてしまったようだ。

思えば私も、心房細動の原因が医学的に解明される以前に、アンダンテ体操を組み立て、自身の心房細動の治癒に挑戦した。その結果、心電図は正常な波形の回復を示し、レントゲン画像は正常時に戻った心臓の姿を映し出していた。

残念なことに、私をピンチから救ってくれた弟は、昨年（2022）の春、急性心筋梗塞で他界してしまった。弟は酒を飲まずタバコも吸わない、スキーの上手な男だった。死ぬ前に送られてきた私への手紙では、心房細動の症状を訴えていた。弟は63歳で初婚し、今年12歳になる娘と遥か年下の嫁を残して、あっけなく他界してしまった。

私がもう少し早く、アンダンテ体操を完成し、伝授していればよかったと悔やんでいる。

私はアンダンテ体操を世に広めたいと思っている。

だが、現在の日本では薬機法によって、医師でもない私が、自分で研究して組み立てた「アンダンテ体操」と名付けた体操を、心房細動の治療に効果があるとうたって広めることは許されない。

しかし、私はけっしてあきらめない。合法的なあらゆる手段を使って、同じ心房細動に苦しむ人々のもとに「アンダンテ体操」をお届けしたいと思う。

乞うご期待！

〈著者紹介〉
長井 一俊 (ながい かずとし)
慶応義塾大学法学部政治学科 卒業。米国留学後、半年間の船による世界一周の旅を経験。ガデリウス(株)ストックホルム本社に勤務。帰国後、企画会社(株)JPAを設立。世界初の商業用ロボット(ミスター・ランダム)、清酒「若貴」、ノートPCのキャリングケース(ダイナバッグ)等ヒット商品を企画・開発。バブル経済崩壊を機に会社の拠点をフィンランドに移し、電子部品、皮革等の輸出入を行う。趣味の日本料理を生かし世界最北の日本レストランを開業。(元)日本婦人科腫瘍学会 会員、(現)PRP(多血小板血漿)療法研究会 会員、(現)(株)グローメディックス社長。

フィンランドで世界最北《せかいさいほく》の
日本食《にほんしょく》レストランを経営《けいえい》した男《おとこ》
―心房細動《しんぼうさいどう》の闘病《とうびょう》と克服《こくふく》まで―

2023年12月15日 第1刷発行

著 者 長井一俊
発行人 久保田貴幸

発行元 株式会社 幻冬舎メディアコンサルティング
〒151-0051 東京都渋谷区千駄ヶ谷4-9-7
電話 03-5411-6440(編集)

発売元 株式会社 幻冬舎
〒151-0051 東京都渋谷区千駄ヶ谷4-9-7
電話 03-5411-6222(営業)

印刷・製本 中央精版印刷株式会社
装 丁 三島良太

検印廃止

Printed in Japan
ISBN 978-4-344-69026-4 C0095
幻冬舎メディアコンサルティングＨＰ
https://www.gentosha-mc.com/